キーワードで書ける！
頻出テーマ別 合格論文 答案集

第1次改訂版

公務員昇任論文研究会編

公職研

はじめに

　本書は、全国の地方自治体の主任昇任試験、係長昇任試験といった昇任試験の論文試験を受験される方を対象に、いかに対策を進めていくかをまとめています。

　選択問題を中心とした一次試験が終了し、ほっとしているのもつかの間、論文や面接を中心とした二次試験はすぐにやってきます。また、選択問題中心の専門試験等と合わせて、論文試験が実施される場合もありますが、その場合には、どうしても知識の獲得が主体の選択問題対策が勉強の中心となってしまいます。

　このように、論文試験対策に費やせる時間は限られている中でも、本書は、試験の受験者が、容易に合格水準に到達できるように、論文の構成、盛り込むべき頻出ワードといった重要なポイントをコンパクトにまとめています。

　特に、本書では、4段構成の論文を基本として、そのそれぞれの段に必要な要素、さらにはポイントをまとめており、その構成パーツを意識しながら、必要な表現を押さえることで、論文が作成できるように工夫しています。また、職場・職務系論文の頻出テーマの合格論文、政策系論文の頻出テーマの合格論文を掲載し、1つひとつの頻出テーマに対して、そのテーマが出題される背景やポイントを解説しています。

　また、改訂版刊行にあたってDX（デジタルトランスフォーメーション）や新型コロナウイルス感染症対策など、自治体をめぐる最新情勢を踏まえた見直しを行っています。こうした中、新型コロナウイルス感染症の状況は日々変化しており、必ず最新の状況を踏まえ、いかに論文にまとめるか整理しておく必要があります。

　試験の準備に費やす時間の限られた人は、まず、本書の**ゴシック**で記述した部分を中心に読み込んでください。そのうえで、実際に原稿用紙を用意し、自分で時間を測り、ここ数年に自分が受験する昇任試験に出題されたテーマの論文を書いてみることで、最低限の準備はできると思います。時間のある方は、さらに、本書で取り上げた他のテーマについても、論文を書いてみることで、さらに理解が深まります。

昇任試験はあくまでも１つの通過点です。試験を乗り越え、昇任すると、それまで見えなかった新しい様々なものが見えてくると思います。是非とも、昇任試験をパスし、新たな場所で活躍してください。

令和４年３月　著者

目　次

第1部　総　論

1．昇任試験の論文に求められるもの ……………………… 2
昇任試験の論文とは／2　　昇任論文に求められるもの／2

2．大きく分かれる2パターンの論文 …………………… 4
職場・職務系論文と政策系論文／4　　問題の出題形式／5

3．論文の構成 ………………………………………………… 6
論文の構成／6　　Ⅰ．導入／7　　Ⅱ．課題／7　　Ⅲ．解決策／8　　Ⅳ．まとめ／8

4．レジメと論文作成のポイント　　パーツと頻出表現を押さえよう …………………………………………………… 10
レジメをつくろう／10　　頻出表現で対応／10　　論文作成のポイント／11　　文字数はぎりぎりまで／12

5．試験当日の対応 …………………………………………… 13
自分のペースを守る／13　　想定外のテーマへの対応／13　　当日の論文作成の注意点／14

第2部　職場・職務系論文

職場・職務系論文への対応 ………………………………… 18
導入／18　　課題・解決策／18

1．効果的・効率的な職場の構築 …………………………… 20
あなたは主任として、職場の効率化にどう取り組みますか。／22　　あなたは係長として、職場の業務改善をどのように推進しますか。／24

2．働き方改革の推進 ………………………………………… 26
あなたは係長として、時間外勤務の削減にどう取り組みますか。／28　　課長として、ワーク・ライフ・バランスの確保にどう取り組みますか。／30

3．職場の活性化・情報の共有 …………………………………… 32
　　あなたは係長として、職場の活性化をどのように進めますか。／34　　あなたは係長として、係内の情報共有をどのように進めますか。／36

4．新規事業の実施・政策形成能力の向上 …………………………… 38
　　新たな配属先での市長の重要政策の実現に課長としてどう取り組みますか。／40　　係長として、職員の政策形成能力の向上にどう取り組みますか。／42

5．職場で果たすべき役割 ………………………………………… 44
　　あなたは係長として、どのように業務を進めますか。／46　　あなたは課長として、どのように職務を推進しますか。／48

6．若手職員の育成・ノウハウの継承 ………………………………… 50
　　あなたは係長として、若手職員の育成にどう取り組みますか。／52　　あなたは係長として、ノウハウの継承をどのように進めますか。／54

7．職員の管理 ……………………………………………………… 56
　　課長として、職場でのメンタル・ヘルスの課題にどう取り組みますか。／58　　あなたは係長として、事務処理ミスの削減にどう対応しますか。／60

8．住民対応 ………………………………………………………… 62
　　あなたは課長として、窓口サービスのデジタル化にどう取り組みますか。／64　　あなたは係長として、住民のクレームにどう対応しますか。／66

9．リスク・マネジメント ………………………………………… 68
　　あなたは課長として、職員の不祥事防止にどう取り組みますか。／70　　あなたは課長として、コロナ禍での業務の継続にどう取り組みますか。／72

10．職場での市民参加・協働の推進、情報発信 ……………………… 74
　　あなたは課長として、市民参加・市民協働をどう進めますか。／76　　あなたは係長として、積極的な情報発信にどう取り組みますか。／78

第3部　　政策系論文
政策系論文への対応 ……………………………………………… 82
政策系論文のための情報収集 …………………………………… 82

過去問の傾向把握／82　参考資料等／82

政策系論文の作成のポイント …………………………………………83
導入部／83　課題・解決策／83

1．高齢者・地域福祉 ……………………………………… 84
高齢化の進行に伴う課題と対応について論じなさい。／86　自治体の地域福祉施策の課題・重要な取組を論じなさい。／88

2．子育て支援・子どもの貧困対策 ……………………… 90
子育てしやすいまちづくりの課題と取組を論じなさい。／92　子どもの貧困対策の課題と取組について論じなさい。／94

3．環境問題への対応 ……………………………………… 96
環境負荷の少ないまちづくりに向けた課題と取組を論じなさい。／98　気候変動対策の課題と取組について論じなさい。／100

4．労働・雇用の確保 …………………………………… 102
女性が活躍できる社会に向けた課題と取組について論じなさい。／104　誰もが働きやすい環境整備の課題と取組について論じなさい。／106

5．地域主体の安全・安心の確保 ……………………… 108
地域での災害対応能力の向上にどう取り組むか、述べなさい。／110　地域防犯対策の課題と取組について論じなさい。／112

6．地域の活性化 ………………………………………… 114
地域の活性化（地方創生）に向けた課題と取組について論じなさい。／116　シティプロモーションの推進に向けた課題と取組を論じなさい。／118

7．地方分権・市民利用施設の再編 …………………… 120
地方分権への対応について論じなさい。／122　市民利用施設の長寿命化・再編にどう取り組むか、述べなさい。／124

8．市民との協働・ボランティア活動の推進 ………… 126
様々な主体と協働した取組をどう進めるか、述べなさい。／128　ボランティア活動を推進するうえでの課題と取組について論じなさい。／130

第 1 部

総 論

1. 昇任試験の論文に求められるもの

▶昇任試験の論文とは

　昇任試験は、任命権者があなたを一定の職に昇任させるかどうかを決定するために実施する試験です。試験では、他の受験生と競争しながら、自分の能力を実証していく必要があり、その能力が昇任後の職に合致した、一定の水準以上であることが求められます。

　つまり、昇任試験は、受験生本人が「**昇任後のポストに就いて適切に仕事を行える人材か**」をみるために行うものです。

　昇任試験では、論文以外にも、択一試験、面接試験など様々な試験が課されます。このうち、論文試験では、**職員の問題意識、論理的思考、基本的な文章能力**など、論文以外ではみることができない自分の能力が試されます。

　こうしたことから、**職場をマネジメントできるか、リーダーシップを発揮できるか**といった職場での課題への対応を問うものも多くなっています。

▶昇任論文に求められるもの

　昇任論文では、次のようなポイントをクリアする必要があります。
◎**昇任試験の論文の内容が合格後の職に適切であること**
　昇任試験には、主任試験、係長試験、課長試験など様々な職への試験があります。

　主任の場合には、係内での立場を踏まえ、**部下の育成、自分の仕事の効率化、係長への提案**といったものを中心に記述する必要があります。一方、**係長、課長**になると**他の組織との調整、危機事象への対応**といった要素が多くなってきます。

　このように、**昇任後の職に応じた提案や指摘**を論文の中で行っていく必要があります。

　現在、地方公務員法15条の2第1項5号に基づき、職制上の段階の標準的な職の職務を遂行するうえで発揮することが求められる能力として、

「標準職務遂行能力」を任命権者が定めるようになっています。この中では、主任、係長、課長といった職ごとに、構想、判断、説明・調整、業務運営などについて求められる能力が定められています。
　一度、自分の自治体の標準職務遂行能力を見ておきましょう。

◎昇任後に何をしたいかを記述すること

　昇任試験の論文の採点は、外部に委託される場合もありますし、自治体の管理職等が行う場合もあります。採点者としては、この受験者は、**昇任後に何ができるのか、何をしてくれるのかといった自治体への貢献を期待**しています。

　つまり、文章を読んだ**採点者が、受験者を合格させ、一定の職に昇任させたいと思うか**という点も大きなポイントです。

　この点では、昇任させてもらったら、このように自分は頑張っていきますという**決意表明を行うことが重要**です。

　具体的には、係長として、または課長として「○○に取り組んでいきたい」といった形で、具体的な内容を盛り込み、最後に決意表明してください。なお、決意表明が評価につながらないとされる試験もありますので、自分の昇任試験の要綱等を必ず確認しましょう。

◎一定の評価基準をクリアしていること

　昇任論文の評価基準として、自治体の要綱や論文試験の参考書では概ね次のようなポイントが挙げられています。

①**理解力**：問題の意図をきちんと受け止めること
②**提案力**：的確な解決策を提案していること
③**論理力**：論文が論理的に述べられていること
④**表現力**：文章が分かりやすいこと

　こうした評価基準について一定のレベルをクリアする必要があります。
　また、受験する試験の要綱等には、評価基準に言及されているものもあります。事前に目を通しておきましょう。

2. 大きく分かれる2パターンの論文

▶職場・職務系論文と政策系論文

　昇任論文の問題は、大きく「**職場・職務系論文**」と「**政策系論文**」に分かれます。

　職場・職務系論文は、**職場で起こる職務に関する課題を指摘し、実際にどのように対応していくかを問うもの**です。例えば、「あなたは主任として、職場の効率化にどう取り組みますか」「あなたは係長として、職場の業務改善をどのように推進しますか」といった内容です。

　この中では、職位に応じて課題を的確に抽出し、課題への対応を記述していくことになります。

　職場・職務系論文を書き上げるには、特定の知識は必要ありません。**日常の業務の課題やあるべき対応方策を整理しておくことで対応可能**です。頻出テーマについて、課題や解決策をまとめたレジメをつくり、それを踏まえ実際に論文を作成する作業が重要です。

　一方、政策系論文は、政策領域の課題を取り上げる論文です。この内容は大きく3つに分けることができます。すなわち、①福祉、環境など、**個別具体的な政策領域に関する論文**、②地域の活性化、地方分権・行政改革への対応といった**自治体が抱える全般的なテーマに関する論文**、③市民と協働した自治体運営、地域コミュニティのあり方といった**住民との関係についての論文**です。

　昇任試験の受験者の職場は様々ですから、政策系論文でも詳細な知識が求められることはあまりありません。**大まかな課題や方向性を押さえておくことで対応可能**です。また、自分の中で対応可能な論点に引き付けてしまうというのも1つの手法です。むしろ1で解説したような論理力、提案力などが求められます。

　いずれにせよ、自分の受験する昇任試験の実施要綱等を熟読し、その内容をきちんと把握したうえで、その内容に応じた論文作成の訓練を行う必要があります。

▶問題の出題形式

　問題の出題形式には、いくつか形があり、1つとして「○○について論じなさい」「○○の課題と対応についてどう考えますか」と短文形式で問うものがあります。こうした短文形式は職場・職務系論文、政策系論文の双方にみられます（**図表1**）。本書では、職場・職務系論文のページの中で、係長として、主任としてなど、職位を意識したテーマ設定を行い、合格論文を示しています。

　こうした短文形式の出題に対しても、後述するように3段構成、4段構成を基本として対応します。

　一方、職場・職務系論文の場合には、事例を1500字程度で紹介し、その中から課題を抽出し、解決策を提示するものがあります。

　この場合でも、特段の指示がない場合には、短文形式の出題と同様に、3段構成、4段構成を基本として対応します。

　また、政策系論文の場合には、グラフ等の資料が提示され、それを解釈しながら、論文を作成するものがあります。

　このような論文でも、特段の指示がない場合には、課題を論じ、解決策を提示し、自分の決意表明を行うといった3段構成や4段構成で対応します。

　本書では、実際の出題形式に多い「○○について論じなさい」といった形式を想定し、論文作成のポイントと、合格論文を紹介しています。

図表1　職場・職務系論文、政策系論文のテーマ例

職場・職務系論文	政策系論文
①効率化・業務改善など 　職場の効率化・業務改善、時間外勤務の削減、ワーク・ライフ・バランスの確保、仕事の管理、部下の管理、デジタル化 ②職場づくり 　職場の活性化、情報共有、政策形成能力の向上、意識改革、若手職員の育成、ノウハウの継承、メンタル・ヘルス対策、事務処理ミスへの対応、住民対応の向上、不祥事防止、リスク・マネジメント、市民参加・市民協働、情報発信など ③役職者の役割 　リーダーシップ、職場の活性化	①個別具体的な政策領域に関する論文 　高齢者・地域福祉、子育て支援・子どもの貧困対策、環境問題への対応、労働・雇用の確保、地域主体の安全・安心の確保、地域の活性化、新型コロナウイルス感染症 ②自治体が抱える全般的なテーマに関する論文 　地方分権、行政改革、地方創生、SDGs ③住民との関係についての論文 　市民との協働、ボランティア活動の推進

3. 論文の構成

▶論文の構成

　論文試験の文字数は1000字から2000字のものが多くなっています。この文字数の中で、課題、解決策を論述するため、論文の構成としては、通常、**4段構成**、または**3段構成**がとられます。

　本書では**課題と取組の関係性を明確にする**ため1800字前後の**4段構成**の合格論文を紹介しています。**文字数が少ない場合にはコンパクトにまとめる必要があるため、3段構成による作成が求められます**。3段構成で作成する場合は、**課題と解決策を2段目で一緒に整理**します。

　4段の論文の構成は次のとおりです。

図表2　論文の構成

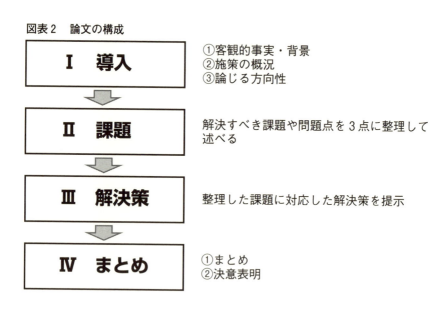

　このように論文は大きく4つのまとまりに分けることができ、それぞれの内容は**図表2**の通りです。

　本書の一番初めのテーマである「あなたは主任として、職場の効率化にどう取り組みますか」（以下**Q**）を例に、構成を考えてみましょう。

Ⅰ　導入

　見出しを付けたうえで、出題されたテーマの背景や、そのテーマを受けて自分が論じる方向性などを提示します。なお、見出しは原稿用紙の文字数に合わせて1行以内とするようにしてください。

　導入の見出しは、「○○の必要性」、「求められる○○」などとすると、まとめやすくなります。ここでは、「求められる住民ニーズへの対応」としています。

　課題提起の部分は、**大きく3つのパーツに分けられます**。

①客観的事実・背景
　扶助費の増加により、財政状況は厳しい。その他の課題も山積。
②施策の概況
　市として、多様化する住民ニーズに対応していかなくてはならない。
③論じる方向性
　このため、効果的・効率的な職場運営、最少の経費で最大の効果を生み出していく必要がある。

　すべてがこのように3つのパーツに整理できるわけではありません。ただ、「**Ⅰ　導入**」には**3つのパーツを入れる**と考えておくと、パターン化しやすいでしょう。

　職場の効率化というテーマですので、「**厳しい財政状況や住民ニーズの多様化**に行政として対応していくには、**効率的な行政運営が必要**」という**職場レベルよりはやや大きな枠組み**でとらえています。**厳しい財政状況や住民ニーズの多様化**といった表現は、「効率化の必要性」以外の論文のテーマでも活用できます。

　特に、職場・職務系論文では、課題提起で用いる内容は頻出表現でパターン化できます。いくつかの導入部を用意しておきましょう。ぜひ、職場・職務系論文への対応の導入部の解説、18頁も参照してください。

Ⅱ　課題

　課題の部分でも見出しを付けてください。ここでは、Qで問われている課題を指摘するため、「効率化が不十分な職場」としています。

改行して本文を続け、「職場の効率化に向けた課題は次のとおりである」といった形で、そのあとに課題を述べることを明示してください。なお、導入部の見出しと同様に1行以内にするようにしてください。

その後、「第1に」、「第2に」、「第3に」と3つの課題を記述します。

ここでは、①**住民ニーズへの対応**、②**職員間での連携・協力不足**、③**業務改善**を取り上げています。このような課題の内容は、職場・職務系論文のほかのテーマでも利用することができます。

このように課題を取り上げる場合は、後述するとおり、課題で「○○ができていない」、解決策で「○○する」といったような表現が裏返しになっているだけにならないような工夫が必要です。

Ⅲ 解決策

課題に合致した形で、解決策を3つ整理していきます。

まず、見出しを付けましょう。見出しは、課題の解決に向けた取組ですので、「職場の効率化に向けた方策」としています。

その次に、課題と同じように「○○の実現に向け、次の取組を進める」といった形で記述しましょう。ここでは、「私は、職場の効率化に向け、次の取組を進める」としています。

そして「第1に」、「第2に」、「第3に」というように、課題と整合させて、解決策を記述していきます。

Ⅳ まとめ

最後に、全体のまとめと決意表明を行います。まず、見出しを付けます。見出しは「課題提起の見出しを達成していくように記述する」とよいでしょう。ここでは、決意表明で基本構想の内容を引用していることもあり、市政運営全体の視点から「○○な都市の実現に向けて」としています。

まとめは全体の内容を簡潔に述べます。

決意表明は、「自分がその職位に昇任したらこんなに**頑張ります**。ぜひ昇任させてください」というメッセージです。

テーマに沿った形で、自分のやる気を見せましょう。ただし、述べて

きた内容と異なることを表明してはいけません。

こうした内容を**図表3**に整理しました。

Ⅰ導入は3つのパーツ、**Ⅳまとめ**は2つのパーツから構成され、**Ⅱ課題**と**Ⅲ解決策**は3つのパーツからなります。つまり、11のパーツを意識しながら、全体の構成を考えていく必要があります。

図表3　論文構成の構成イメージ

構　成	見出し	内　容
Ⅰ　導入	求められる住民ニーズへの対応	①【背景】として、厳しい財政状況 ②【施策の概況】として、住民ニーズへの対応の必要性 ③【論じる方向性】として、効果的・効率的な対応の必要性
Ⅱ　課題	効率化が不十分な職場	3つの課題を提示 ①住民ニーズへの対応 ②職員間での連携・協力不足 ③業務改善
Ⅲ　解決策	職場の効率化に向けた方策	①、②、③の解決策
Ⅳ　まとめ	○○な都市の実現に向けて	①全体のまとめ ②決意表明

4. レジメと論文作成のポイント　パーツと頻出表現を押さえよう

▶レジメをつくろう

　レジメは論文の作成にあたっての設計図であり、レジメの良し悪しが論文の出来を左右します。

　3で述べた11のパーツを意識し、**図表4**のとおりレジメを作成しましょう。3段構成の場合には、**Ⅱ**と**Ⅲ**を一緒にしましょう。

　本書では、職場・職務系論文の頻出テーマ10本に対してテーマごとに2本ずつ計20本の合格論文、政策系論文の頻出テーマ8本に対して2本ずつ計16本の合格論文を掲載しています。また、1つひとつの頻出テーマに対して、そのテーマが出題される背景やポイントを解説しています。

　レジメを作成するときは、**Ⅰ**の**導入**に記述する事項を概観したうえで、2つの論文について**Ⅱ**の**課題**、**Ⅲ**の**解決策**を3つずつ整理していきます。

　また、見出しは実際の合格論文を参考にしてください。

図表4　レジメのイメージ

構　成	見出し	内　容
Ⅰ　導入		① ② ③
Ⅱ　課題		① ② ③
Ⅲ　解決策		① ② ③
Ⅳ　まとめ		① ②

▶頻出表現で対応

　職場・職務系論文では、合格論文でゴシック表記した頻出表現を使い11のパーツを作成し、論文を作成していくことでパターン化できます。

　「若手職員の育成」というテーマでも、「**厳しい財政状況の中で一人ひ**

とりがその能力を発揮する必要がある」とすればよいのです。

住民ニーズという視点は、ほかにも「新規施策の立案」といったテーマなどでも用いることが可能です。また、**連携不足**は政策系論文でも「地域団体との連携不足」といった形で利用可能です。

このように、11のパーツと頻出表現を組み合わせて論文を作成すれば、自ずとあなたの論文の型（パターン）ができ上がります。

▶論文作成のポイント
◎論文作成の手順に応じた時間配分を、事前に考えておこう。

論文作成は、**図表5**に示したように、課題の絞り込み、レジメ作成、論文を書く、論文を読み直すといった手順を踏みます。

図表5　論文作成のフローと時間配分例（90分の場合）

時間	作業内容
5分	問題を読んで、自分なりに課題を絞り込む
15分	レジメを作成する
60分	レジメを基に論文を書く
10分	論文を読み直す

試験当日までに速く、正確に書く練習をしておきましょう。そのうえで、実際にかかる時間を把握し、おおよその全体の時間配分を決めておきましょう。こうした訓練の積み重ねが当日に生きてきます。

◎必ず時間を測って、原稿用紙に書いてみる。

ワープロに慣れていると原稿用紙に文字を書いていくのは苦労します。事前に想定した時間にそって論文作成が進められるよう、必ず時間を測って、原稿用紙に書く訓練をしましょう。

◎見出しを付ける。

4段構成、または3段構成のはじめには見出しを付けましょう。大量の答案を処理する採点者にとって読みやすい論文になります。

なお、本書では便宜上、見出しの前を1行空けていますが、原稿用紙に書く場合は1行空けるようなことはしません。この点注意してください。

◎原稿用紙の使い方の基本的なルールを守る。

次のような原稿用紙の使い方の基本的なルールを守りましょう。
①各段落のはじめは1マスあける。
②行頭の句読点は前の行の行末のマスに入れる。
③アルファベットの大文字は1マスに1字、小文字は2字を入れる。
④算用数字は1マスに2字を入れる。

◎第三者的な表現を避ける。

昇任論文では「〇〇が求められる」といった第三者的な表現は避け、「〇〇の必要がある」「〇〇しなくてはならない」といった主体的な表現を使いましょう。自分の熱意が、より伝わります。

◎積極性のある表現を用いる。

文末では、「〇〇に取り組む」よりも、「〇〇に取り組んでいく」とした方が、動きのある積極的な表現となります。原稿用紙の空き状況を勘案して、こうした表現を用いましょう。

◎短い文章をつなぐ。

職場でも「…であるが、」というように、接続助詞の「が」などを用いて長くつないだ文章をよく見かけます。この場合、**論旨が不明確になり、読みにくい、インパクトのない文章**になってしまいます。

可能な限り短い文章をつないでいくようにしましょう。

▶文字数はぎりぎりまで

論文全体の文字数については、「〇字以内」とか、「〇字から〇字で論述せよ」といったものが多いです。下限を上回るのは最低条件。**原稿用紙は、可能な限り最後の行まで埋める**ようにしましょう。

◎上司に論文を読んでもらう。

作成した論文は必ず誰かに読んでもらいましょう。自分で気付かなかった点を指摘してもらえます。

特に、上司は、昇任試験の職務評価者である場合も多いです。自分の論文を読んでもらい、自分の頑張りをアピールしておきましょう。

5. 試験当日の対応

▶自分のペースを守る

試験開始の合図から間もなく、周囲からは原稿用紙に論文を書き込む音が聞こえてきます。

ヤマが当たって想定と全く同じ問題が出た場合は別として、いきなり原稿用紙に書き込むことは考えられません。あせらず、自分のペースで対応しましょう。

▶想定外のテーマへの対応

全く想定していないテーマが出題されると、どうしたらよいか気が動転しがちです。

想定されるケースとして、**①非常に広範で漠然としたテーマ**、**②対象が狭く、全く想定してなかったテーマ**、**③他の想定したテーマと関連性がみられるテーマ**等に分類できます。職場・職務系論文であれば、事前の準備をきちんとしていれば、全くイメージがわかないということはまずありません。**実際の職場を考えながら、自分の想定していたテーマのパーツを組み合わせる**ことで対応できるからです。

政策系論文の場合でも、①の場合、「地域社会の課題と対応について論じなさい」といったものでは、「地域福祉」「地域での住民活動」「地域主体の災害対策」など、**自分の想定していたテーマに引き付けて論じる**ことができます。③も同様に**自分の対応可能なテーマに引き付けて論じる**ことが可能でしょう。

しかし、問題なのが②です。このような場合、次のように対応しましょう。

◎行政組織内部の課題・解決策に結び付ける。

福祉分野のように、高齢者、子ども、障がい者といった形で、法体系に応じて**組織が縦割**となっているような場合には、**総合化・ワンストップ化**を進めるといった論点があります。

さらに、新しい取組が求められる分野の場合には、**首長をトップとす**

る推進組織を立ち上げる、新たに対応方針を策定するといった対応が考えられます。

このように、行政組織内部の課題・解決策に結び付けることが1つの手法です。

◎**行政機関、地域との連携の課題・解決策に結び付ける。**

労働分野のように、政策分野によっては、国、都道府県、市町村の役割が一部重複している場合もあります。こうした場合には、**国、都道府県、市町村の連携を強化**するという論点があります。

また、福祉分野のように、地域包括支援センター、社会福祉協議会のような準公的機関、民生委員、児童委員など行政から委嘱された方など、多様な主体が政策・施策の推進に携わっている分野の場合、こうした**主体間の連携を推進**するといった論点があります。

このように、**行政機関、地域との連携**の課題・解決策に結び付けることも1つの手法です。

▶当日の論文作成の注意点

試験当日は、そのほかにも次のことを心掛けておきましょう。

◎**丁寧に書く。誤字脱字は厳禁。**

採点者は、多くの論文を読み採点しています。できるだけ**読みやすいように文字は丁寧に書く**ようにしてください。

また、**誤字脱字も厳禁**です。不安な場合には、他の言葉に置き換えるなどしましょう。

◎**あやふやな数値は利用しない。**

「本市の高齢化率は〇％」、「人口減少率は〇％」など、具体的な数値を入れることで説得力は増します。一方で、その**数値が間違っていたり、ずいぶんと古いデータであると評価が下がってしまいます**。事前にきちんと数値を押さえている場合を除き、高齢化率は上昇しているなど、他の表現を用いるようにしましょう。

◎**最後まで粘る。**

最後に論文全体を読み返します。

論文全体を書き直す時間はありません。書き直すと、原稿用紙は汚れ、

見にくくなります。

　しかし、読み返すことによって、誤字、事実の誤認、論旨のおかしいところに気付くことも多く、部分的な修正で論文全体が格段によいものになります。

　時間のある限り、何度でも論文を読み返し、合格を勝ち取ってください。

第 2 部

職場・職務系
論文

職場・職務系論文への対応

職場・職務系論文はⅠ導入、Ⅱ課題、Ⅲ解決策、Ⅳまとめの部分で用いられる頻出表現があります。

▶導入

導入は、①客観的事実・背景、②施策の概況、③論じる方向性の3つのパーツに分けられます。職場・職務系論文の①②では、**住民ニーズの多様化・複雑化、厳しい財政状況**等の頻出表現が用いられます。これは、③として取り上げられる自治体の役割として**最少の経費で最大の効果を生み出す**、つまり**住民ニーズに応え、その福祉の増進**につながるように、**効率的に資源を使うこと**が求められるためです。

◎住民ニーズの多様化・複雑化

①②として、高度経済成長期を経て、成熟型社会に移行する中で、**住民ニーズは多様化・複雑化**しています。③として、こうした住民ニーズに対応し、住民の福祉を増進させていく必要があります。

◎厳しい財政状況

①②として、新型コロナウイルス感染症の影響により税収は減少しており、国の交付金等に頼らざるを得ず、自治体は**厳しい財政状況**に直面しています。今後も感染状況が見通せない中で、少子高齢化の進行に伴う**扶助費の増加**など、**財政状況は厳しさ**を一層増しています。

③として、行政には、**限られた資源で、業務改善**等を行いながら、**地域の課題に対応**していく必要があります。

こうした頻出表現を用い、自治体の状況を加え、導入部を作成することが可能です。いくつかのパターンを用意しておきましょう。

▶課題・解決策

課題・解決策の部分については、自治体の業務内容を考えながら、頻出表現を用いることで、その内容を論述することができます。

図表6のとおり、行政は**人的資源**と**財源**を用いて**住民にサービスを提**

供していきます。より**効果の高いサービスに資源を重点的に投下**することで**高い住民満足度**を得ることが可能です。

　また、組織は課、係という形で編成されるため、どうしても**縦割**となり、よりよいサービスの提供につながらない場合があります。この点で、**組織間の連携**が求められ、**定例的な会議の開催**、スケジューラや共有フォルダを活用した**情報の共有**などの対応が考えられます。

　さらに、組織は、職員一人ひとりから構成され、その個々人が能力を発揮することが不可欠です。このため、**職員の意識改革**、**職員の能力の向上**、**働きやすい環境づくり**、**研修の受講の勧め**などを行うことで、組織の能力向上につなげることも必要です。

　係長や主任が職場で果たす役割といった「役割もの」として、例えば、**係長は課長の補佐、係員の仕事の管理・育成、他の係との連携**という形で、「ウエ」、「シタ」、「ヨコ」に着目していく必要があります。

　このように、職場・職務系論文では、**受験する昇任試験の職位を意識**して論文を作成する必要があります。

図表6　職場・職務系論文の主な解決策イメージ

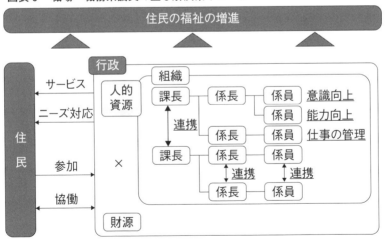

1. 効果的・効率的な職場の構築

新型コロナウイルス感染症の影響による**厳しい財政状況、住民ニーズの多様化**などに対応しながら、自治体には、**限られた行政資源を有効に活用**し、**より満足度の高い行政サービスを提供**していかなくてはなりません。

このためには、個々の職員、そしてそれぞれの職場が**効果的・効率的に日々の業務を行っていく必要**があります。しかしながら、実際の現場では、**前例踏襲、縦割**などの課題があり、それに対応できていない現実があります。

こうした中で取り上げられるのが、**効果的・効率的な組織運営**です。主任の場合と、係長の場合とでは次のように異なります。

> 設問例　あなたは主任として、職場の効率化にどう取り組みますか。

[課題]
① 住民からの意見が職場に体系的に蓄積されておらず、**住民ニーズの変化に対応した行政サービスの提供**が行われていない。
② 職員が**自分の仕事に集中**し、それだけやればよいという雰囲気が蔓延している。この結果、職員間で**連携・協力**が行われていない。
③ 職員が、これまでに培われてきた**前例に固執（前例踏襲）**して仕事を行っており、**業務改善が不断に行われていない**。

[解決策]
① **住民意識調査や窓口対応で得られた住民意見**により、**住民ニーズを把握**し、**行政サービス提供に活用**する。
② **定期的な係会議の開催を提案**し、**業務状況等を共有**し、他の係員の状況把握や**係内の意思疎通等**が円滑に行われる環境づくりに取り組む。
③ 前例にとらわれず、**業務フローの見直し**などを進め、**仕事の最適化**、そして**業務の改善**に取り組む。他の職員も改革意識を持つよう促す。

設問例 あなたは係長として、職場の業務改善をどのように推進しますか。

[課題]
① 係間の縦割意識が強く、連携・協力が行われていない。類似の業務もあるが、**コスト意識に欠けている**。
② **改革意識に欠け、仕事がマンネリ化**しており、長期にわたり**業務の見直し**が図られていない。
③ 業務が一部の職員に偏りがちであり、**チームとして仕事をしていく**意識が醸成されていない。

[解決策]
① **定期的な課内会議の開催**など係間の情報共有を進める。あわせて**事業コストの見える化**に取り組む。
② **目標管理の仕組みを活用**し、係員の自主性を引き出し、**目標設定**を促す。スピード感を持って計画的に仕事を行わせる。
③ 係内の業務を能力・特性に応じて適切に割り振る。主担当・副担当制、業務の繁閑に応じた**応援態勢**など係全体で業務を行う。

●キー・ポイント

職員数や財源が変化しない中で、行政サービスを向上させるにはどうしたらよいでしょうか。単純化していえば、**行政サービスは、①財源と②組織（③職員）**を用いて提供します。

このため、①**財源**：優先度の高い行政サービスへの資源の投下、②**組織**：縦割の是正、成果重視、スピード重視、情報の共有、部門間の連携、デジタル化の推進、民間へのアウトソーシング、③**個人**：業務の見直し、目標管理制度の活用、研修等を通じた改革意識の向上などが考えられます。

①はより効果的な分野への資源配分の変更、②③は効率的な資源の活用に当たります。

行政サービス←②組織（課長、係長、③職員個人）×①財源

このバランスを考えて論文を作成するとよいでしょう。

あなたは主任として、職場の効率化にどう取り組みますか。

1 求められる住民ニーズへの対応

　新型コロナウイルス感染症の影響により、税収は減少しており、高齢化の進行に伴う扶助費の増加などにより、本市は一層**厳しい財政状況**に直面している。こうした中、新型コロナウイルス感染症に的確に対応するとともに、高度成長期に建設した施設の老朽化、頻発する災害に対応したまちづくりなど、様々な地域課題に取り組まなくてはならない。

　一方、社会の成熟化に伴い、**住民ニーズは多様化**している。本市は、そのニーズに対応しながら、地域課題を解決していく必要がある。

　このため、**効果的・効率的**な職場運営を行い、**最少の経費で最大の効果**[1]を生み出していかなくてはならない。

2 効率化が不十分な職場

　職場の効率化に向けた課題は次のとおりである。

　第1に、**住民ニーズの変化に対応した行政サービス提供**が行われていない。ニーズの多様化に伴い、住民からの意見も変化してきている。しかし、住民の声を聴くのは担当レベルであり、場当たり的な対応に終始し、その意見が職場に体系的に蓄積されていない。このため、**お客様である住民**の大切な声がサービス提供に十分生かされていない。

　第2に、職員が**自分の仕事**に集中し、**連携・協力**が十分に行われていない。職員数は増加しない一方で、行うべき業務は増加してきており、自分の仕事を処理すればよいという雰囲気が蔓延している。この結果、業務に必要な類似の調査を職員が別々に行ったり、目的が類似した打ち合わせを別々に開催したり、非効率な業務が目立っている。

　第3に、職員がこれまでに培われてきた**前例に固執**し、仕事を行っており、**業務改善が不断**に行われていない。整備されたマニュアルに沿って業務を行うことは重要である。また、行政として継続性を担保していく必要もある。しかし、個々の業務の必要性を考えることなく、マニュアルのとおりに仕事を処理しており、業務を改善しようという意識に欠けている。

（1）　地方自治法2条14項は、地方公共団体は、「住民の福祉の増進に努めるとともに、最少の経費で最大の効果を挙げるようにしなければならない」と規定しています。

3　職場の効率化に向けた方策

　私は、職場の効率化に向け、次の取組を進める。

　第1に、**住民ニーズの把握**のために、**市で毎年行っている住民意識調査**[2]を行政サービスの提供に積極的に活用していく。あわせて、係長に提案し、**窓口対応を通じて寄せられた住民意見を記録**し、それを課長まで供覧するとともに、**係内で共有できる仕組みを構築する**。主任として**率先して、その概要をとりまとめ、対応を係内会議で議論し、住民ニーズを生かした行政サービスの提供に逐次反映**させていく。

　第2に、係長に**定期的な係会議の開催を提案**し、会議で**職員の業務の状況、実施スケジュール等を共有**していく。あわせて、年間の業務スケジュールについては**共有フォルダを活用**し、他の係員の業務の進捗状況が把握できるようにする。また、日々のスケジュールは**イントラネットのスケジューラの活用**を徹底する。こうした取組を通じ、**係内の意思疎通、連携・協力が円滑に行われ、重複した仕事が排除できる**環境づくりに取り組んでいく。

　第3に、前例にとらわれず、**業務フローの見直し**などを進め、**仕事の最適化**、そして**業務の改善**に取り組む。自分が主任として**率先して**現在のマニュアルの業務フロー、個々の業務の**見直しを提案**する。そして、提案に基づく対応について係会議でも議論し、具体的な見直しに移していく。また、自分が率先して行動することにより、**他の職員も改革意識を持つ**ように促していく。

4　○○な都市の実現に向けて

　厳しい財政状況の中で、**住民ニーズに的確に対応**していくには、**効果的・効率的に行政資源を活用**していく必要がある。

　私は、係長を補佐し、職員を育成しながら、主任としてより**効果的・効率的な職場の構築**に取り組んでいきたい。そして、本市の基本構想に掲げる「**○○な都市」の実現**[3]に貢献していく所存である。

（2）　自治体では、住民ニーズ把握のための調査が行われています。こうした住民ニーズの概要を把握しておくと、論文の内容に広がりが生まれます。
（3）　決意表明では、基本構想の言葉を引用すると、締まります。目を通しておいてください。

あなたは係長として、職場の業務改善[1]をどのように推進しますか。

1 不断の業務改善の必要性

　新型コロナウイルス感染症の影響により税収は減少し、さらには扶助費の増加等もあり、経常収支比率[2]は95を超え、**財政の硬直化が顕著**[3]となっている。また、少子高齢化、核家族化の進行など、社会環境の変化に伴い、**住民ニーズは多様化・複雑化**してきている。

　本市として、新型コロナウイルス感染症対応にくわえ、こうした**住民ニーズに対応**し、様々な**地域課題の解決**に取り組む必要がある。さらに、**働き方改革**を推進し、**長時間勤務**を是正し、**質の高い行政サービスを効率的に提供**しなくてはならない。

　このため、係長としては、日々、**業務の改善**を図り、**効率化**を進めながら、本市の有する**資源を効率的に活用**していく必要がある。

2 業務改善が不十分な現在の職場の課題

　職場の業務改善に向けた課題は、次のとおりである。

　第1に、係間の**縦割意識**が強く、**コスト意識に欠け**、**業務の最適化**が行われにくい。この結果、係の間での**連携・協力が十分に行われておらず**、類似の業務もみられ、無駄を生み出している。だが、こうした無駄が住民からの税金で賄われているという認識を持っていない。

　第2に、**改革意識に欠けている**。住民ニーズが大きく変化する中で**スピード感を持って変化に対応する必要がある**。しかし、職員の抱える業務は定型的なものも多く、日々の処理に重点が置かれ、**仕事がマンネリ化**している。このため、長期にわたり**業務の見直し**が図られていない。

　第3に、**業務が一部の職員に偏りがち**である。係員は、それぞれに得意・不得意分野があったり、経験も異なっている。このような特性を踏まえた業務の割り振りが行われていない。また、他の職員をカバーしながら、**チームとして仕事をしていく意識**が醸成されていない。

（1）　業務改善の対象は広いため、昇任試験の職位に応じた内容を設定しましょう。
（2）　経常収支比率は財政の弾力性を表し、経常一般財源に占める人件費、扶助費、公債費等の経常経費充当一般財源の割合です。自分の団体の値も確認しましょう。

3 不断の業務改善に向けた取組

　私は、次のとおり業務改善に取り組んでいく。

　第1に、**係間の情報共有**を進める。具体的には、課長に**定期的な課内会議の開催**を提案し、会議では、各係の事務・事業の進捗状況、全体スケジュールを共有する。さらに、利用ルールを定め、**共有フォルダ等を十分活用**できるようにし、職員間でも情報が共有できるようにする。あわせて類似業務についてはその**企画段階から連携・調整の可能性**について検討していく。また、政策評価制度のコスト計算等を活用し、**事業コストの見える化**を進め、コスト意識を持って業務に取り組むようにしていく。こうした取組を通じ、類似業務を整理し、**無駄を削減**することで、**事業を効率的に推進**していく。

　第2に、**人事評価制度の目標管理**(4)の仕組みを活用し、係員の自主性を引き出しながら、**業務改善に係る明確な目標設定**を促す。そして、**スピード感を持って、年間スケジュールに沿って計画的に取り組むように指導**していく。特に、目標設定の面談の中で係長として改善の意義を説明するとともに、研修等を受講させることで、業務改善の意義を理解させ、自ら改革に取り組むように働きかける。また、**職員の業務改善の取組について発表等の機会**(5)を与えるようにしていく。

　第3に、**係長として係内の業務を能力や特性に応じて職員に適切に割り振っていく**。特に、チームとして仕事をしていくよう、担当一人に任せるのではなく、**主担当・副担当制**を導入する。また、業務の繁閑に応じて、**応援態勢**を組むなど、係全体として業務を行っていく体制づくりを進めていく。

4 効果的・効率的な住民サービスの提供へ

　日々の業務改善をしっかり行い、新興感染症、大規模災害など予測できない事態に対して弾力的・機動的に対応できる組織としていく必要がある。

　私は、課長を補佐し、係員を指導・育成しながら、係長として**業務改善が不断**に行われ、より**効果的・効率的に行政サービスが提供**できる職場の構築に取り組んでいく所存である。

（3）　この結果、政策的経費に活用する予算が減ることになります。
（4）　地方公務員法改正により人事評価制度の導入が義務付けられました。業績評価は組織目標とリンクした個人目標の設定により、職員の仕事の管理にも利用できます。
（5）　発表機会は、それぞれの都市で行われているほか、全国都市改善改革実践事例発表会も実施されています。

2. 働き方改革の推進

2018年7月に成立した「働き方改革関連法」では、各種法律を改正し、**長時間労働の是正**、**多様で柔軟な働き方の実現**、**雇用形態にかかわらない公正な待遇の確保**等のための措置が講じられています。特に、**新型コロナウイルス感染症の影響**により、**テレワーク**や**時差通勤**など、多様な働き方が求められるようになっています。

こうした状況は、自治体でも同様であり、行政サービスをきちんと提供しながら、**ワーク・ライフ・バランスを確保**し、多様な働き方を実現していく必要があります。

こうした中で取り上げられるのが、職場における働き方改革です。

> **設問例** あなたは係長として、時間外勤務の削減にどう取り組みますか。

課題

① **時間外勤務を是とする組織風土**があり、**管理監督者が恒常的に時間外勤務**を行っている。テレワークの活用が進んでない。
② **コスト意識に欠け**、**前例踏襲**しており、**業務の改善**が行われていない。このため、時間外勤務をしないと事務処理が追い付かない。
③ **業務が計画的に進められていない**。職場が一体感に欠け、職員がそれぞれ仕事をしており、**チームとして業務が遂行されていない**。

解決策

① **定時退庁日**を決め、管理監督者が率先して退庁する、**時間外勤務内容を事前に把握**し、翌日に従事させる、対面中心の業務を見直すなど、**改革を進める**。
② **目標管理等の仕組み**を活用し、**業務改善にコミット**させる。目的や意義が薄れた事務事業の廃止・見直しに取り組む。
③ 係内で**年間スケジュールを共有**しながら、仕事を進める。**繁忙期には応援態勢**を組むなど、弾力的な組織運営を行う。

> 設問例　課長として、ワーク・ライフ・バランスの確保にどう取り組みますか。

[課題]
① **管理監督者**が恒常的に遅くまで仕事をしており、**ワーク・ライフ・バランスの重要性**を理解していない。
② 仕事が計画的に行われておらず、**突発的な残業**を強いられる場合が多い。また、有給休暇、休業制度の取得率が低くなっている。
③ **前例踏襲意識**が職員に強く、既に意義が薄くなった調査などを継続しており、**定型的な業務**に対応するための**時間外勤務**が多い。

[解決策]
① 管理監督者が率先して**定時退庁、研修受講、イクボス宣言**などを行い、**組織風土改革**に取り組む。
② 年度当初に**年間業務計画を策定**し、計画的な業務進行により、**休みやすい環境づくり**に取り組む。
③ 仕事の棚卸しを行い、**必要性が薄れた業務は縮小・廃止**するとともに、**業務フローの見直し、マニュアル作成**などを行う。

●キー・ポイント

　働き方改革関連法では、**時間外労働時間の上限規制、フレックスタイム制**などの**多様で柔軟な働き方の実現**、前日の就業終了時刻と、翌日の就業開始時刻の間に一定時間の休息の確保を義務付ける**インターバル規制**などが導入されました。
　地方公務員の一般職には、こうした法改正の多くは適用されませんが、社会動向を把握しておく必要があります。
　ここでは、職場・職務系論文の1つとして組織風土や業務の改善を中心に課題や解決策を取り上げました。このテーマは、政策系論文として①**社会への意識の浸透**、②**企業への支援・優良企業の表彰**などを取り上げることも可能でしょう。

あなたは係長として、時間外勤務の削減にどう取り組みますか。

1　働きやすい職場環境の確保の必要性

　厳しい財政状況の中で、本市では行革大綱[1]に基づき、**定員抑制**に取り組んできた。この結果、5年間で職員数は500人削減された。

　一方、**住民ニーズは多様化・複雑化**してきているほか、今後も、新興感染症等の予測できない事象の発生が懸念されており、少ない職員で、市として適切に対応していく必要がある。

　こうした中では、**個々の職員が能力を発揮し、少数精鋭で的確に業務を行い**、市として**行政サービスを確実に提供**しなければならない。このため、時間外勤務を削減し、**勤務時間は職務に専念し、能力を最大限発揮**しながら、**私生活も大切**にできる環境の整備が必要である。

2　恒常的に発生する時間外勤務

　本市では、次の理由で常に時間外勤務が発生している。

　第1に、**時間外勤務を是とする組織風土**があり、仕事がなくとも帰りにくい。特に、**管理職や先輩職員が恒常的に時間外勤務**を行っている。また、テレワーク用の端末が整備されたにもかかわらず、対面を中心とした業務となっている。このため先輩から様々なことを学ぶ立場にある若い職員は、様々な理由を付け、日々出勤し、管理監督者が帰るまで職場に残っている。結果として時間外勤務が恒常的に発生している。

　第2に、**コスト意識に欠け、前例踏襲意識が強い**。これまでの事務事業等を当然のように受け継いでおり、**業務改善が行われていない**。この結果、目的や意義が失われている事務が漫然と継続され、効率の悪い方法で事務処理がなされている。このため、新たな業務も増える中で、時間外勤務を行わなくては処理が追い付かなくなっている。

　第3に、**業務がきちんとした年間スケジュールに基づき計画的に進められていない**。このため、締め切り間近になると担当が時間外勤務を行わざるを得なくなっている。さらに、職場が一体感に欠け、職員がそれぞれ仕事をしており、**チームとして業務が遂行されていない**。この結果、担当不在時の緊急の問い合わせや照会への対応に右往左往し、大きな時間を要している。

（1）　自治体では、総合計画とともに、行政改革に係る計画が策定されています。こうした計画にも目を通しておきましょう。

3 効率的に業務を行うための体制づくり

私は、次のとおり時間外勤務の削減に取り組む。

第1に、全庁的な定時退庁日[2]に加え、課長に働きかけ、**課独自の定時退庁日**を決めるとともに係員それぞれにテレワークによる勤務日を割り振り、徹底する。また、**時間外勤務の業務内容を事前に把握**し、勤務時間外に業務を行う必要性を精査する。対面中心の業務の見直しを進めながら、業務内容によっては、翌日の勤務時間に従事させるなど、時間外勤務の削減を促していく。そして、他の管理監督者や中堅職員に働きかけ、率先して退庁する。このように対面を基本とし、**時間外勤務を是とする職場の改革**に取り組む。

第2に、**人事評価制度の目標管理等の仕組みを活用**し、業務改善を推進する。具体的には、職員の自主性を引き出しながら、**業務改善に関する目標を設定**させ、**業務改善にコミット**させる。また**政策評価制度**のコスト分析[3]の活用や**簡易なコスト計算**により、**コストの見える化**を進める。コスト分析等の結果も踏まえ、業務の棚卸しを行い、目的や意義が薄れた事務事業の廃止・見直しに取り組んでいく。

第3に、係内で**年間スケジュール**を共有し、計画的に仕事を進める。事務分担には、**主担当**に加え、**副担当**を配置し、相互に業務を管理し、**休暇等を取りやすい環境づくり**を進める。仕事のマニュアル化を進め、個々の**業務内容を見える化**し、問い合せ等の対応も可能としていく。さらに、**繁忙期**には係内で**応援態勢**を組むなど、弾力的な組織運営を行っていく。

4 職員の能力が発揮される職場の構築へ

本市でも、限られた**資源**を有効に活用し、**住民ニーズや不測の事態に対応**していくことで、レジリエンス(弾力性)を持った**豊かな地域社会を構築**していく必要がある。このためには、それぞれの**職員が持てる能力を最大限に発揮**できる環境づくりを進めなくてはならない。

私は、時間外勤務の削減等の働き方改革に取り組み、職員が自分の私生活を大切にしながら、職務を行うことで、その**能力が発揮**される職場の構築に取り組んでいく所存である。

---

(2) 多くの職場で定められている定時退庁日は実際の運用が重要です。
(3) 政策評価では、人件費等も含めたコストが計算される場合も多いです。自分の自治体のものを確認しましょう。

課長として、ワーク・ライフ・バランスの確保にどう取り組みますか。

1 求められるワーク・ライフ・バランス

厳しい財政状況の中、本市では、指定管理者制度の導入などの行政改革を進め、職員数を削減し、財政効果を上げてきた。

一方、職員削減により、職員が**少数精鋭**として様々な事務を処理する必要がある。このため、事務負担、精神的負担も大きく、うつ病などによる**長期の病気休暇**[1]**取得者も増加**してきた。

こうした中で、**職員がやりがいを感じながら働く一方で、子育てをはじめ、家庭も大切にしながら、健康で豊かな生活が送れるようワーク・ライフ・バランスを確保**していかなくてはならない。

2 仕事に偏った現在の職場

現在の職場の課題は次のとおりである。

第1に、**課長・係長といった管理監督者がワーク・ライフ・バランスの重要性を理解していない**。そして、恒常的に遅くまで仕事を行っている。本来、課や係という組織をマネジメントする役割を担う管理監督者が自分のワーク・ライフ・バランスの確保すらできていない。

第2に、**仕事が計画的に行われておらず、突発的な残業**を強いられる場合も多くなっている。また、体調不良以外では有給休暇を取得しにくく、休暇の取得率が低い。さらに、**男性の育児休業**[2]などが取得されておらず、各種の休業制度も活用されていない。

第3に、**定型的な業務**に対応するための**時間外勤務**が多い。また、既に**意義が薄くなった調査などの事務が継続**されており、その事務処理に多くの時間を費やしている。課の職員が**前例踏襲意識**を強く持っており、現状を改善していこうとする意識に欠けている。

3 ワーク・ライフ・バランスの確保の取組

私は、次のとおり職場の改善に取り組む。

---

(1) 地方公務員健康状況等の現況の概要によれば、精神及び行動の障害により長期病休となった人の令和2年度の10万人率は1713.3人で、10年前の約1.5倍、15年前の約2.1倍となっています。
(2) 地方公共団体の勤務条件等に関する調査結果の概要によれば、育児休業の令和2年度の取得率は、男性が13.2％、女性が99.7％となっており、男性は低くなっています。

第1に、係長にも働きかけ、**管理監督者が率先して定時には退庁**する。また、課長自ら、ワーク・ライフ・バランスに係る**研修を受講**するとともに、係長にも**受講を促す**。こうした研修の資料は必ず**課内で回覧**し、ワーク・ライフ・バランスの確保に向けた課全体の**意識の向上**につなげる。あわせて、課長、係長が家庭生活も重視するという**イクボス、イクメン**[3]の宣言を行い、率先してワーク・ライフ・バランスの確保に取り組み、**職場の組織風土改革**を進めていく。

　第2に、年度当初に課内の**年間業務計画を策定**し、計画的に仕事を進めることで、**休みやすい環境づくり**に取り組む。計画策定に当たっては、人事評価制度の目標管理制度等も活用し、目標設定の際に係長、職員にヒアリングを実施し、その意見を業務計画に反映させる。業務計画も踏まえながら、**事務分担でも育児や出産といった職員のライフイベントに合わせた有給休暇・育児休業の取得が可能となるように配慮**していく。特に、業務の繁忙期とライフイベントがぶつからないような事務分担の配慮や、状況に応じた応援態勢を構築していく。

　第3に、係長に指示し、**仕事の棚卸しを行い、必要性が薄れた業務は縮小・廃止**する。また、**業務フローの見直し**、**マニュアル作成**などを行い、仕事の効率化を図る。定型的な業務には、**アウトソーシング**や、**RPA**[4]を導入していく。特に、庁内会議は既に導入されているオンライン会議を活用し、移動時間の削減を進めるとともに、開催回数の精査を行い、回数の削減などに取り組む。このように、**仕事全体の見直しを進め、最適化**を図り、定型的な業務を削減し、職員が仕事に**やりがいが持てる**ように業務を再編していく。

4　満足度の高い行政サービスの提供に向けて

　職員の生活(ライフ)の質の向上が、業務内容(ワーク)の向上につながり、ひいては**行政サービスの質の向上**につながっていく。

　私は、課長としてワーク・ライフ・バランスを確保し、満足度の高い行政サービスが提供できるよう取り組む所存である。

---

(3)　イクボスは、部下や同僚等の育児や介護、ワーク・ライフ・バランス等に配慮・理解のある上司のこと、イクメンは、子育てする男性のことです。
(4)　RPAはRobotic Process Automationの略で、ロボットにより定型業務の自動化を図るものです。自治体でも庶務業務などの定例業務に導入されています。

3. 職場の活性化・情報の共有

　自治体の職員数は、2017年には23年ぶりにいったん増加に転じたものの、1994年をピークに減少してきています。こうした中では、どの職場でも**少数精鋭**で、**環境変化に対応**しながら、**多様化・複雑化する住民ニーズに対応**していく必要があります。
　そのためには、**職員がいきいきと日々の業務に向き合う**ことができ、**職場が活性化する環境づくり**に取り組まなければなりません。
　また、情報化が進展していく中で情報共有のための様々なツールが提供されるようになってきています。
　こうした**情報ツールを活用**し、いかに**無駄を排除**したり、**目的を共有**したりできるかが問われています。

> 設問例　あなたは係長として、職場の活性化をどのように進めますか。

[課題]
① 　**職員のモチベーションが上がらない**。目の前の仕事の処理に精一杯であり、自分の**仕事の社会的な意義**を理解していない。
② 　ストレスなく気軽に相談したり、情報交換できる状況になく、**職員同士や、係長との適切なコミュニケーションが取れていない**。
③ 　自分から積極的に学んでいく風土ができておらず、新たな業務に取り組んでいける**人材が適切に育っていない**。

[解決策]
① 　**組織目標を明確に提示**し、**職員が共感**できるようにする。面談等の機会を活用し、職員に仕事の社会的な意義を理解してもらう。
② 　**主担当・副担当制の導入**、**報告・連絡・相談しやすい環境づくり**などにより、コミュニケーションの活性化を促す。
③ 　**OJT**等に加え、必要な書籍、自主研究グループなどの紹介、**人事評価での加点**等により、**自己啓発による主体的な成長**を促す。

設問例　あなたは係長として、係内の情報共有をどのように進めますか。

課題
① **情報共有を進める必要性が理解されておらず**、スケジューラへの入力など、手間を要する情報共有の取組が進んでいない。
② システム上、情報共有のためのスケジューラや掲示板などが提供されているにも拘わらず、**利用方法が理解されていない**。
③ **ルールが定められておらず**、一部の職員は、すべてのメールを係員へ同報し、**重要な情報が埋もれてしまっている**。

解決策
① 「**無駄の排除**」「**目的の共有**」による**生産性向上**などの情報共有の意義・目的を明示し、係員への浸透を図り、情報共有の機運を高める。
② **情報機器に詳しい若手職員を情報化推進員として位置づけ**、情報共有のツールの使い方を理解してもらうように取り組む。
③ 情報共有の目的が達成できるように、メールや共有フォルダの利用などの**情報共有のためのルール**を定め、その順守を促す。

●キー・ポイント

　職場の活性化に向けては、**コミュニケーションをどう取るか**など、組織づくりの側面と、そもそも職員が仕事を通じて**自己実現等**に取り組む環境をいかにつくっていけるかという二つの側面があります。
　単に、毎日の業務をこなすということでは職場は活性化しません。**自分の仕事に意義を感じながら、小さな改善を積み重ねる**といった取組が重要です。
　情報共有というと、共有フォルダや会議の開催などを論ずるべきといった参考書も多く出ています。ただ、すでに**スケジュール管理ソフトなどの情報共有のためのツールが導入**されている自治体もあり、その状況に応じて論じていく必要があります。

あなたは係長として、職場の活性化をどのように進めますか。

1　求められる職場の活性化

　2021年度予算では、前年度に引き続き財政調整基金(1)の取崩が計上された。新型コロナウイルス感染症の影響による税収減とともに、扶助費の増大等により、本市は、**厳しい財政状況**に直面している。

　また、行政改革による職員削減、団塊世代の退職等により、**少数精鋭**で、**多様化する住民ニーズ**に対応していかなくてはならない。

　こうした状況で、**行政サービスを安定的、効果的に提供し続けていく**には、**職員がいきいきと働ける**よう、**職場を活性化**していく必要がある。

2　閉塞感もただよう現在の職場の課題

　現在の職場には、次のような課題がある。

　第1に、**職員のモチベーションが上がっていない**。目の前の仕事の処理に精一杯で、自分の**仕事の社会的な意義**を理解していない。組織目標も人事評価制度の一環として設定されている。だが、毎年ほぼ同様のものが踏襲されている。結果として、**仕事にやりがいが持てない**職員も多く、係長昇任試験の受験率も低くなっている(2)。

　第2に、**職員同士**や、**係長との適切なコミュニケーションが取れていない**。決裁や仕事の場面など、必要最小限のコミュニケーションしか取れておらず、ストレスなく気軽に相談したり、情報を交換できる状況にない。このため、職員間の信頼関係も醸成されていない。結果として、それぞれの担当は自分の仕事以外の情報を集められず、小さな視野に狭まりがちである。様々な判断も全体状況を勘案したものでなく、担当の把握した情報に基づき、行われている。

　第3に、**人材が適切に育っていない**。階層別研修など、最低限必要な研修は受講されている。だが、自分から積極的に学んでいく風土ができていない。知識と能力を主体的に高めていこうとする意識に欠け、新たな業務に取り組んでいける人材が育っていない。

（1）　財政調整基金は、年度間の財源変動への対応のために積み立てる、自治体の"貯金"です。
（2）　家庭や趣味を大切にしたいといった意識から生じる昇任試験の受験率の低下が課題となっています。このため、試験から選考に切り替える自治体もみられます。

3 職場の活性化に向けた取組

 私は、職場の活性化に向け、次のとおり取り組む。

 第1に、**組織目標を明確に提示**し、その内容に**職員が共感できるように**していく。具体的には、課長とも相談し、環境変化に対応した組織目標を設定する。そして、面談等の機会を活用し、その組織目標との関係の中で、**職員に仕事の社会的な意義を理解**してもらう。こうした取組を通じ、**自己実現を図り**ながら、モチベーション高く、自分の仕事に主体的に取り組むよう促していく[3]。

 第2に、**コミュニケーションの活性化により、職員間の信頼関係の構築**につなげていく。業務分担に**主担当・副担当制**を導入し、チームで仕事をするという意識づけを行う。そして、**互いの仕事について意見等を述べることができる**組織づくりに取り組む。また、係長と職員の面談も定期的に実施し、**報告・連絡・相談しやすい環境づくり**を進めていく。**コミュニケーションの活性化**により、多角的に仕事を見つめ、よりよい行政サービスを提供できる組織づくりにつなげていく。

 第3に、**主体性を持って、自ら成長していくように促していく**[4]。OJTの実施に加え、**Off-JT**として階層別研修以外の各種研修の受講を促す。また、**自己啓発**に取り組むよう、自分の仕事に必要な書籍を紹介したり、自主研究グループなどへの参加を勧める。さらに、係長会議の資料などを供覧し、より広い視野を持ちながら、自分の仕事を行うよう促していく。**人事評価制度の自己啓発へ加点**し、その取組を評価することで、**主体的な自己成長へ動機づけ**していく。

4 効果的・効率的な行政サービスの提供に向けて

 財政状況が厳しく、人員が増加しない中では、それぞれの**職員が能力を発揮**しながら、**効果的・効率的に業務**を行っていく必要がある。

 私は、係長として職場の活性化に取り組み、**効果的に、より効率的に行政サービスを提供**する職場を構築していく所存である。

---

(3) マズローによれば、人の欲求には、①生理的、②安全、③社会的、④尊厳、⑤自己実現の5つの段階があります。職員一人ひとりが自己実現という高次の欲求に向けて働くように動機づけていく必要があります。
(4) 「目的を効果的に達成するために、組織のメンバー及びチームの能力と意識を伸ばし続ける組織」である「学習する組織」が、環境変化により求められます。

あなたは係長として、係内の情報共有をどのように進めますか。

1　求められる情報共有による業務の推進

　IT化の進展とともに、本市でも、共有フォルダ、スケジューラなど、様々な情報共有のためのツールが職員向けに提供[1]されている。**情報共有は、個々の職員が持つ情報を蓄積、共有、活用することであり、生産性の向上**などにつなげることができる。

　一方、本市でも行政改革により職員を削減しており、**少数精鋭の職場**となっている。こうした中、**個々の職員が能力を発揮し、チームの生産性を向上させ、効率的に業務を執行**していかなくてはならない。

　このため、**生産性の向上に向け、情報共有に取り組む必要**がある。

2　情報共有が十分でない現在の職場

　職場の情報共有に関する課題は、次のとおりである。

　第1に、係内で**情報共有を進める必要性が理解されていない**。情報共有を進めるには、自分の手帳以外にスケジューラへ入力するなど、ひと手間を要する[2]。この必要性が理解されていないために、情報共有に向けた取組が行われていない。

　第2に、システム上、情報共有のためのスケジューラや掲示板などが提供されているにも拘わらず、**利用方法が理解されていない**。情報共有のためのツールの利用方法は、簡単なものが多い。だが、中高年の職員を中心に、業務上、最低限必要な決裁システムなど以外の情報共有のシステムへの理解が進んでいない。このため、分からないから情報共有のツールを使わない、そして情報共有が進まないという**悪循環**に陥っている。

　第3に、**自分のルールに沿った情報共有が行われ、統一されていない**。このため、一部の職員は、すべてのメールを係内の関係者に同報するなど、**重要な情報が埋もれてしまう**[3]状況をもたらしている。この結果、照会文書の見落としなどによる**事務の遅延**が生じている。

（1）　自分の自治体の情報共有ツールの導入状況を踏まえて論じましょう。
（2）　情報管理の所管課であれば情報ツール自体の変更もありえますが、通常の職場を想定し、こうした指摘にしました。
（3）　このように情報過多というのも問題として取り上げることができるでしょう。

3　係内の情報共有の推進

　私は次のとおり、情報共有の推進に取り組む。

　第1に、「無駄の排除」「目的の共有」による生産性の向上といった情報共有の意義・目的を明示し、その意義等を係員へ浸透させる。このことにより、情報共有を進める機運を醸成する。特に、仕事の様々な場面で、「無駄の排除」「目的の共有」の達成による行政サービスの向上、対応の迅速化、事務の効率化などの具体的なメリットを示す。こうした取組を通じ、ひと手間をかけながらも係の中で**情報共有が進む**ようにしていく。

　第2に、**情報機器の活用に詳しい若手職員を情報化推進員として位置づける**。推進員が中心となって情報共有のためのツールの使い方を全係員に理解してもらうようにする。若手職員に、係内の他の職員への研修の講師になってもらうとともに、いつでも使い方を聞きやすい環境をつくり、情報共有を進めていく。**若手職員にとってもやりがいにつながり、情報共有に向けた好循環**につなげていく。

　第3に、情報共有の**目的が達成**できるように、メールや共有フォルダの利用などの**情報共有のためのルール**を定め、その順守を促す。特に、**メールのCCは安易に利用**されることが多いため、業務上情報共有が必要な関係者に限定するようにルール化する。さらに、メールアドレスの漏洩リスクの低減のため、複数の職員でクロスチェックを義務付ける[4]。また、共有フォルダについては名称のつけ方、作成途中ファイルの削除といった利用ルールを定め、効率的に活用できるように取り組んでいく。

4　情報共有による無駄の排除、目的の共有へ

　財政状況が厳しく、人員が増加しない中では、情報共有により、「**無駄の排除**」、「**目的の共有**」を進め、**生産性を向上**させ、少ない人員で**効果的に行政運営**を行っていく必要がある。

　私は、係長として情報共有を推進し、**効果的・効率的に行政サービスが提供**できる職場の構築に取り組んでいく所存である。

（4）　BCCに送信するつもりが、CCで送ってしまってメールアドレスが漏洩してしまう事故が多発しています。こうした点を深堀りして述べてもよいでしょう。

4. 新規事業の実施・政策形成能力の向上

　財政状況が厳しさを増す中で、**資源制約が厳しくなっています**。**住民ニーズを踏まえながら、行政資源を効率的に用いていく必要があります**。また、地方分権の進展とともに、**地域の実情に合わせた政策形成**が求められるようになってきています。

　こうした中で取り上げられるのが、新規事業の実施や職員の政策形成能力の向上です。新規事業の実施は、地域の実情や他都市の動向等を踏まえ、ボトムアップで取り組まれることが通常です。ただ、近年、マニフェストに基づく行政運営がいわれ、首長公約に位置付けられた事業の実現に取り組む必要もあります。

> 設問例　新たな配属先での市長の重要政策の実現に課長としてどう取り組みますか。

課題
① 　市長就任から半年を経ているが、**重要政策の企画・調整を担う課として取組の方向性を示せていない**。
② 　課内の各係は通常業務を抱えているため、市長の重要政策に係る仕事は、**係間の押し付け合いになっている**。
③ 　重要政策に関係する部署が多岐にわたっており、それぞれの利害が対立し、**全市的な調整が行われていない**。

解決策
① 　**課長自らたたき台を作成し**、部長、そして**市長に方向性・スケジュールを確認しながら事業化に向けた取組を進めていく**。
② 　課内の**庶務・企画担当**には関係者会議のセッティング等、**事業推進係には事業の詳細な内容の検討・具体化**を行うよう指示する。
③ 　**市長トップの検討会議**等を立ち上げ、庁内横断的な検討体制を構築する。政策形成過程で、**学識者等から意見聴取**を行う。

> 設問例　係長として、職員の政策形成能力の向上にどう取り組みますか。

課題
① 政策形成能力の向上には、日々の取組が重要という認識が不足している。国の技術的助言などに基づき、**業務を行う考えが強い**。
② 通常業務に没頭し、職場において、自分の仕事以外の**広範な知識等を得られる機会が少ない。研修等の受講に至っていない**。
③ 政策形成は一部の職員に限定され、自分は関係ないといった意識も強く、**職員の政策形成能力の向上を促す仕組みが不足している**。

解決策
① **OJT**の一環として、政策法務的な発想を理解させ、関係法令を調べさせるなど、**仕事を起点とした**政策形成能力の向上を働きかける。
② **Off-JT、自己啓発**を促す。**研修受講**、地方自治全般に係る各種**情報誌の回覧**などにより、**広範な知識取得への契機**とする。
③ **政策提言・発表の場**を活用し、職員に現在行っている事業や法令等に係る研究内容を発表してもらう。

●キー・ポイント

　研修は、①**OJT**、②**Off-JT**、③**自己啓発**の３つに大きく分けられます。①**OJT**（On the Job Training）は、職場での職務遂行の中で行われるものです。②**Off-JT**は、職場外の研修を指します。③**自己啓発**は、勤務時間外に自ら書籍を読む、自主研究グループへ参加するなどが当たります。
　職員の育成に係る論文では、こうした①②③をバランスよく組み立ててください。また、①に取り組めない課題として、周りに聞きにくい、マニュアルが整備されていないなどが考えられます。②は繁忙で職場を離れられない、③は先輩もやる気がなく、職場が活性化せず、自己実現の取組を促す状況にない、などがあるでしょう。
　こうした課題を論文に盛り込んでもよいでしょう。

新たな配属先での市長の重要政策の実現に課長としてどう取り組みますか。

1 スピード感が求められる重要政策の実現

現在の市長は、マニフェスト[1]において○○の実施を掲げ、住民の負託を受けて選挙で当選した。

○○の実施は、県内自治体では初となる政策であり、さらには、多くの部局をまたぐ政策課題であり、その実施は容易ではない。

こうした中でも、○○の実施は市長の重要政策であり、その実施には組織として**スピード感を持って取り組んでいく必要がある**。

2 重要政策の検討に未着手な職場の状況

市長の重要政策の実施については次の課題がある。

第1に、市長の就任から既に半年を経ているが、**重要政策の企画・調整を担う課として取組の方向性を示せていない**。現在の課長は、部下に任せきりで、課長としてリーダーシップが発揮できていない。

第2に、課内の各係は通常業務を抱えており、非常に繁忙であるため、市長の重要政策に係る仕事は、**係間の押し付け合いになっている**。課長が仕事の配分を適切に行えておらず、また、市長の重要政策の実現というミッションの重要性を係長、そして職員に理解させていない。

第3に、関係部署が多岐にわたり、それぞれの利害が対立するが、**全市的な調整が行われていない**。特に、市長の考えが関係部署に伝わっていない。また、様々な関係団体にも影響が及ぶが、事前の調整や協議もできておらず、新たな施策実施による課題も明確化されていない。

3 重要政策の実現に向けた取組

私は、次のとおり重要政策の実現に取り組む。

第1に、**課長自ら方向性・スケジュールを作成し、市長に確認**しながら**事業化に向けた取組**を進めていく。具体的には、課長として方向性等のたたき台を作成し、部長にも確認を行い、市長に相談する場を設ける。こうした場を、○○事業実施に向けた中間検討段階、最終案の段階、予算要求に向けた主要課題調整[2]など、検討の進捗の節目で適宜設けながら、事業

（1） 首長の重要政策の場合、任期の中で早急に実施していく必要があります。
（2） 予算の首長査定など、自治体で行われているものに言及したほうがよいです。

内容の詳細をつくり上げていく。そして、市長の意向と合わせて、その内容を課内、関係する部等に示しながら、さらに細部にまで内容を詰めていく。

第2に、人事評価面談等の場を活用し、政策実現の重要性を理解してもらいながら、課内の**庶務・企画担当には関係者会議のセッティング等の事務手続きを担ってもらう。事業推進係にはスピード感を持って事業の詳細な内容の検討・具体化を行うように**指示する。他都市の動向把握等の基礎資料の作成も、庶務・企画担当に取り組むよう指示する。さらに、部長にも相談しながら、他課の応援態勢も求めていく。

第3に、係長に指示し、**市長をトップとする検討会議、関係課長からなる幹事会**[3]を立ち上げ、庁内横断的な検討体制を構築していく。検討会議では、**市長のコメントをもらい、全庁的な協力・推進体制をより強固な**ものにする。特に、○○の実施には、予算の確保、人員配置など、一定の行政資源の投入が必要であることから、財政課や人事課などにも事前に情報提供しておく。また、**既往の附属機関等**[4]を活用しながら、**政策形成過程**でも、**学識者や利害関係者からの意見をもらえるような場を設けていく**。特に、学識者から法的論点等について意見をもらい、○○の実施段階で問題が生じないようにしておく。

4 市長の重要政策の実現に向けて

住民の負託を受けた市長の重要政策の実現は、職員、そして課長にとって、**スピード感**を持って取り組むべき重要な課題といえる。

私は、管理監督者である課長として、そして自らプレイヤーの役割も担う**プレイイング・マネジャー**[5]として、関係部局と連携し、その実現に取り組んでいく所存である。

（3） 組織横断的な課題への対応として全庁的な推進体制が必要です。特に、市長の重要施策ということで、市長トップの推進組織の設置も考えられます。
（4） スピード感を持った対応のため、地方自治法138条の4第3項に基づき、条例で定められた既往の附属機関などがあればその活用も考えられるでしょう。
（5） 管理監督者には下から上がってきた案件のチェックも必要ですが、少数精鋭職場では自ら事業を推進する必要もあります。やる気が感じられる表現です。

係長として、職員の政策形成能力の向上にどう取り組みますか。

1　分権時代に必要な職員の政策形成能力

　高度経済成長期には、社会資本の量的充足に重点が置かれ、画一的なまちなみが増える結果となった。社会の成熟化に伴い、地域の特性を踏まえた質的向上を伴うまちづくりを推進していく必要がある。

　また、分権改革により、国と地方の関係は「上下・主従」から「対等・協力」[1]となった。さらに、自治体は、地方の総合的な行政主体として事務を行っていかなくてはならない。

　こうした中、本市でも、全国画一的ではない、地域の実情を踏まえた政策運営が不可欠となっている。このため、市の職員として、市の実情を踏まえた政策を形成する能力を身に付けていく必要がある。

2　政策形成能力の向上の課題

　政策形成能力を向上していくうえで、次の課題がある。

　第1に、**政策形成能力の向上には、日々の取組が重要という認識が不足**している。政策形成能力の向上の取組は、新規の政策条例の制定などにとどまらない。自分の仕事に係る法令への理解の深化、最新の判例の把握など、日常の業務の中での取組が重要である。しかしながら、こうした認識が職員に欠けている。また、**国の技術的助言などに基づき、日々の業務を行えばよいという考えが依然として強い**。

　第2に、通常業務に没頭し、職場において、自分の仕事以外の**広範な知識を得られる機会が少ない**。行政改革により、人員が削減されてきており、職場に余裕がなくなっている。こうした中で、目の前の業務を処理するのに手いっぱいであり、**研修等の受講に至っていない**。

　第3に、**職員の政策形成能力の向上を促す仕組みが不足**している。政策形成を行うのは一部の職場に限定され、自分は関係ないといった意識も強くなっている。こうした中で、自己啓発の重要性を認識させ、取組を促していくには、自分の政策形成能力が適正に評価される仕組みが必要となる。

（1）　2000年の改革であり、現在は、地方からの提案を募集し、実現に向けた検討を行う「提案募集方式」が採用されています。政策系論文122頁も参照してください。

3 政策形成能力の向上に向けた取組

私は、次のとおり政策形成能力の向上に取り組む。

第1に、**OJT**の一環として、政策法務[2]的な発想の重要性を理解させ、関係法令を調べさせるなど**自分の仕事を起点とした政策形成能力の向上**を促す。係内、課内で持ち回りによる勉強会を開催し、関係法令や最新の判例の動向など、自分の業務に関する詳細な知識の取得を促す。勉強会を通じ、**先輩職員のノウハウの継承**にもつなげる。また、聞くだけでなく、職員が自ら発表する機会を設け、自主的な学習への転換を促す。こうした取組により、国頼みでなく、自分の業務内容を自ら考える契機としていく。

第2に、**Off-JT、自己啓発の取組**を促す。Off-JTについては、いつでも、どこでも、何度でも利用できる**e－Learning**[3]の受講を促し、効果的・効率的に能力の向上につなげていく。また、本人の仕事の状況も勘案しながら、集合研修などについても受講を勧めていく。自己啓発については、地方自治全般に係る各種**情報誌**とともに、施政方針[4]など**本市の政策運営上重要な資料を回覧**し、**広範な知識取得**への契機とする。さらには、自主研究グループ等への参加も促していく。

第3に、既にある**全庁的な政策提言・発表の場を活用**し、職員が行っている事業や法令等に係る研究内容を発表してもらう。新たな発表内容の検討が負担になるような場合には、係内の勉強会での発表内容のブラッシュアップによる対応を勧める。さらに、内容に応じて、**職員の発表内容を翌年度の事業にも反映**させていく。こうした取組により、**職員自ら積極的に自己啓発を行う機運**を醸成していく。

4 地域の実情に応じた政策運営に向けて

分権時代においては、本市として、**地域の実情**に応じて、**政策運営**を行い、**地域の魅力**を高めていくことが不可欠となっている。

私は、職員の政策形成能力の向上に取り組み、職員**一人ひとりが新たな発想**に立って、地域の実情に応じた政策を形成していけるような人材育成を進めていく所存である。

---

(2) 法を課題解決・政策実現の手段ととらえ、立法等を検討・実施するものです。
(3) インターネット等を通じた学習形態で、いつでも学べ、移動時間等を削減できます。
(4) 自治体の当該年度の運営方針などを定めたものです。受験生は一読しておくべきです。

5. 職場で果たすべき役割

　昇任試験は、当該職に就いた場合にきちんと業務ができるという意思の表明の場でもあります。このため、係長や主任が職場で果たす役割、いわゆる「役割もの」はよく出題されています。

　また、直接的に○○の役割といった内容でなくとも、①**上司の補佐**という「**ウエ**」の視点、②**組織の運営**、③**部下の仕事の管理**、④**部下の指導・育成**という「**シタ**」の視点、⑤**関係部署との連携・調整**といった「**ヨコ**」の視点は職場・職務系論文で重要なポイントです。

　こうした「**ウエ**」「**シタ**」「**ヨコ**」という視点の中で、当該職位に求められる役割を考えながら論じていくようにしましょう。

　設問例　あなたは係長として、どのように業務を進めますか。

課題
① **課長に十分な情報が提供されておらず、仕事が円滑に進んでいない。**決定後に重要な情報が追加される場合も生じている。
② **係間の情報共有がなされておらず**、各係の業務が別々に行われている。相乗効果が上がっておらず、**業務の重複**もみられる。
③ **全体スケジュールが示されておらず**、職員は**場当たり的に、自分のペースで仕事を行い**、時間外勤務等も多い状況となっている。

解決策
① 課内会議を通じた仕事の進捗状況の**報告・連絡・相談**や、要点メモにより状況報告を行うなど、課長を適切に**補佐・支援**していく。
② 係間で連携可能な課題や取組を洗い出し、**課内会議**などを活用しながら、**具体的な連携・調整方策を検討・実施**していく。
③ 人事評価制度も活用しながら、**課目標からブレークダウンした係目標の内容をきちんと理解**させる。**成果を見える化**し、仕事へのモチベーションを向上させる。

> 設問例　あなたは課長として、どのように職務を推進しますか。

課題
① 社会環境の変化が大きいにも拘わらず、**課の運営が旧態依然**となっている。**事業の再構築、新規事業の実施**につながっていない。
② **部下の指導育成、仕事の管理**を通じた、**課のマネジメントが適切に行えていない**。組織目標の達成につながっていない。
③ **他課との連携・調整**が取れていない。関係性の深いサービスの説明会等が別々に行われたり、類似した業務が別々に行われている。

解決策
① 環境変化に対応した**組織目標を設定**し、組織としての**対応の方向性を明確に提示**していく。**住民ニーズの多様化・複雑化**などを踏まえ、**スクラップ＆ビルド**を進める。
② 課の目標を踏まえ適切に**各係に業務を割り振っていく**。**事業コストに着目**して、**優先順位付け**も進める。
③ 業務が密接に関連する課の課長とは、係長も含めて**定期的な会議を開催**する。関係者の理解を得て、**事業の再構築**等を推進していく。

●キー・ポイント

　管理監督者の役割として次の5つがあります。役職に応じてより⑤の要素が大きくなります。こうしたことも勘案し論文を作成しましょう。
①上司の補佐：上司と部下の結節点であり、上司に組織の状況を報告し、上司からの指示を職員に伝える役割があります。
②組織の運営：管理監督者として組織の目標を共有し、リーダーシップを発揮しながら、職員の能力を引き出していく必要があります。
③部下の仕事の管理：組織の目標に沿って、計画を策定し、職員に適切に事務を分担し、スケジュールに沿って実行していく必要があります。
④部下の指導・育成：計画的に人材育成に取り組み、職員の能力を向上させていく必要があります。
⑤関係部署との連携・調整：組織の長として、他の組織と連携・調整し、円滑に業務を進めていく必要があります。

あなたは係長として、どのように業務を進めますか。

1 管理監督者である係長の役割

厳しい財政状況下、本市では定員管理の適正化に取り組んできた。この結果、住民1000人当たり職員数は県内でも最低となっている[1]。

このため、**少数精鋭**の職場において、**職員一人ひとりが能力を発揮**し、**効果的・効率的**に組織として仕事に取り組み、より**質の高い行政サービスを提供**していかなくてはならない。

こうした中で、職場の管理監督者として、課長と職員の間に立つ係長が**リーダーシップを発揮**しながら、**職員の指導・育成、係間の連携、課長の補佐・支援**を行っていく必要がある。

2 係長の役割を果たすうえでの課題

係長の役割を果たすうえでは、次の課題がある。

第1に、**課長に十分な情報が提供されていない**。このため、課長が現状や課題を**的確に把握**したうえで、迅速な意思決定等が行うことができず、全体として、**仕事が円滑に進んでいない**。特に、重要な情報が、意思決定後に提供され、その内容が覆される場合も生じている。結果として、仕事のやり直しも生じており、業務量が増加している。

第2に、**係間の情報共有がなされておらず**、各係の業務が別々に行われている。特に、職員は自分の仕事に集中し、他の係は関係ないと考え、ばらばらに仕事が行われている。このため、各係間の仕事の相乗効果が上がっていないばかりか、類似の照会が行われるなど、**業務の一部が重複し**、無駄に時間が費やされている。

第3に、**全体スケジュールが示されておらず**、職員は**場当たり的**に、**自分のペースで仕事を行い**、時間外勤務等も多い状況となっている。特に、職員は、係として取り組むべき方向性の全体像をしっかりと把握できていない。この結果、自分の仕事に没頭し、優先度の高い仕事が遅れがちな状況となっている。

3 係長の役割を果たすための方策

私は、係長として次の取組を進めていく。

---

[1] 自分の自治体の職員数、他都市と比較した水準を把握しておきましょう。

第1に、課長には課内会議などを通じて仕事の進捗状況などの**報告・連絡・相談**[2]をきちんと行っていく。特に、事業計画の決定、予算要求などの節目には可能な限りコンパクトにまとめたメモを用いて説明を行い、課長が的確に判断しやすいように情報提供する。こうした取組を通じ、課長の意思決定等の**補佐・支援**を適切に行っていく。

　第2に、係間で連携可能な課題や取組を洗い出し、**課内会議などを活用**し、**具体的な連携・調整方策を他の係長と検討・実施**していく。特に、企画段階から議論を重ね、連携に取り組むことで相乗効果が上がるようにしていく。また、係の枠を越えた事業内容に係わる**勉強会等の開催を立案**し、職員間で意見交換等を行う。その場では、係長として**ファシリテーター役**を担い、職員からの意見を吸い上げるようにする。こうした取組を通じ、**良好なコミュニケーションを確保**し、係間の連携が行われやすい環境づくりを推進していく。

　第3に、**課目標からブレークダウンした係目標**[3]の内容を職員にきちんと理解させる。その際、人事評価制度を用いながら、仕事の重要性、その優先度に合わせたスケジュール作成を指導する。業務分担を適切に見直しながら、個々の職員の能力や適性に応じた事務配分を行う。特に、職員には、**仕事の社会的意義などを説明**し、**成果を見える化**し、**自己実現**につなげていくことで、**仕事へのモチベーションを向上**させていく。また、職員に**報告・連絡・相談を促す**とともに、**係会議を定期的に開催**し、職員の仕事の進捗状況を的確に把握し、必要に応じて指導を行っていく。

4　リーダーシップの発揮で活力ある職場へ

　少数精鋭の職場では、係長が**課長を補佐**し、**係間の連携**を図り、**職員が能力を発揮し、活力ある職場**づくりを進めていく必要がある。

　私は、係長として、こうした職場づくりに向けてリーダーシップを発揮し、取り組んでいく所存である。

（2）　報・連・相は、上司への当たり前の対応として意識すべきです。
（3）　職員に係の仕事の方向性、社会的意義などを理解してもらったうえで、自ら仕事に向かってもらうような環境づくりが必要です。

あなたは課長として、どのように職務を推進しますか。

1　環境変化に対応したマネジメント

　本市では、行政改革の中で、**指定管理者制度の導入や業務委託**など、業務のアウトソーシングを進め、職員数の適正化に取り組んできた。

　また、社会経済環境の変化により、**住民ニーズは多様化・複雑化**しており、**少数精鋭の職場**で、そのニーズに**適確**に対応していく必要がある。

　このため、課長として、環境変化に対応し、限られた資源で最大の効果を挙げられるよう、関係者の理解を得ながら、**スクラップ＆ビルド**[1]により事業を再構築していく必要がある。また、**少数精鋭の職員がその能力を最大限発揮し、行政サービスの効果的・効率的な提供**に取り組んでいけるようマネジメントしていかなくてはならない。

2　環境変化に対応していくうえでの課題

　環境変化に対応していくうえでの課題は、次のとおりである。

　第1に、社会環境の変化が大きいにも拘わらず、**課の運営の大部分が旧態依然**となっている。係長、職員はボトムアップで部分的な業務改善等に取り組んでいるが、全体で資源の最適化を視野に入れた**事業の再構築、新規事業の実施**[2]等にはつながっていない。

　第2に、**課のマネジメントが適切に行えていない**。課という組織のトップとして課長は、**部下の指導育成**、**仕事の管理**を通じ、**組織が円滑に機能**するように取り組んでいく必要がある。だが、課の職員が多いこともあり、部下の指導育成が適切に行えず、部下の仕事を把握できないため、組織目標の達成に向けた取組につながっていない。

　第3に、行政課題の複雑化の中で1つの課だけで完結する事務事業は少なくなっているが、**他課との連携・調整**が取れていない。特に、関係性の深い市役所のサービスであるにも拘わらず、説明会等が別々に行われており、市民にとって分かりにくい状況となっている。さらに類似した業務が別々に行われている。

（1）　右肩上がりの成長が期待できない中で、自治体としてスクラップしながらビルドしていく必要があり、論文の中で使える頻出表現です。
（2）　課長に求められる役割として、新規事業の創出を指摘するものもあります。

3　環境変化に対応していくための取組

私は課長として、次の取組を進める。

第1に、課長として、**環境変化に対応した組織目標を設定**し、組織としての**対応の方向性を明確に提示**していく。その組織目標を踏まえ、事業の棚卸を行い、意義の薄れた事業や合理化などが図れる事業は積極的に見直しを図るよう指示していく。一方、**住民ニーズの多様化・複雑化**などを踏まえながら、事業の見直しにより生まれた経営資源を利用し、新たな事業に着手していく。このように**スクラップ＆ビルド**を基本として、課の業務内容が環境変化に対応したものとなるよう取組を進めていく。

第2に、**課の目標を踏まえ適切に各係に業務を割り振**っていく。各係長には、面談等を通じて課目標をブレークダウンした**係目標**、そして**年間スケジュールを作成**させる。特に、環境変化に対応しながら、課全体、そして市政全体の方向性を理解したうえで、各係が自らの**事業を見直していく**よう促していく。さらに、所管している**事業のコストに着目**しながら、事業の**優先順位付け**ができるよう、**コスト計算の実施**なども指示していく。

第3に、**業務が密接に関連する課の課長とは、係長も含めて定期的な会議を開催**する。特に、事業の見直しについては、他課の業務に与える影響等も分析したうえで、意見交換を行いながら取組を進めていく。さらに、市民や事業者に対しても**事業の見直しの必要性**と、セットで行う**新規事業の意義を十分説明**するなど、**関係者の理解を得**ながら、**事業の再構築等を**推進していく。

4　住民ニーズに対応できる組織に向けて

環境変化の激しい今日においては、**住民ニーズの変化に的確に対応**し、行政サービスを提供していくことが不可欠となっている。

私は、課長として環境変化に対応し、より**効果的・効率的**に行政サービスが提供できる職場の構築に取り組んでいく所存である。

6. 若手職員の育成・ノウハウの継承

　2016年度にはいったん増加に転じたものの、中長期的にみれば地方公務員数は減少傾向にあり、退職者に対して新たに採用される職員は少なくなっています。こうした中で、**若手職員**にも、**職場で即戦力**として、その**能力を発揮**していくことが期待されています。

　また、退職者が増加する中で、その**ノウハウが継承されず**、**安定的な業務の継続がおびやかされる**可能性も生じてきています。実際に、積算ミスなど**単純なミス**が発生しています。

> **設問例**　あなたは係長として、若手職員の育成にどう取り組みますか。

[課　題]
① 　業務の全体像を把握しておらず、消極的であったり、指示待ちになってしまう。自ら主体的に動けていない。
② 　業務に関する知識やノウハウの理解が十分でない。理解しやすい形で知識やノウハウを伝える必要がある。
③ 　自分の業務内容について他の職員に気軽に聞ける環境になく、仕事を抱えてしまっており、遅延が生じている。

[解決策]
① 　**業務を体系的に理解**できるように、指導しながら、若手職員**自ら業務目標**、そして**年間スケジュールを作成**させる。
② 　短期間に知識を得ることができるように**マニュアルを作成**する。問い合わせの多い事項はQ＆Aを作成するなど、工夫する。
③ 　中堅の係員に指導員の役割を持たせ、指導員を中心に**OJTにより育成・指導**に取り組んでもらう。

設問例　あなたは係長として、ノウハウの継承をどのように進めますか。

[課 題]

① 年齢差などもあり、**職場内でのベテランと若手職員のコミュニケーションが不足している**。ベテランから**業務に関する生きた知識を得る**ことができていない。
② 既に一定の**業務マニュアル**はあるが、形として決まった事項が載っているにとどまり、**ベテランのノウハウが可視化**されていない。
③ **担当ごとに仕事を進めてきた結果、担当者が個人で仕事を行う意識**が強く、**仕事のノウハウが十分に継承されていない**。

[解決策]

① ベテランと若手職員を含めた係会議を定期的に行う。**業務に関する勉強会も開催し、コミュニケーションの活性化**に取り組む。
② ベテランだから分かる暗黙知を形式知として**可視化**し、ノウハウの**継承が可能となるようなマニュアルの作成**に取り組む。
③ **ベテランと若手職員をセット**にして業務を行う。指導員という形で、**OJT**によりノウハウを継承していく。

●キー・ポイント

　職員育成は、①**OJT**、②**Off-JT**、③**自己啓発**の３つで取り組むことができます（39頁）。
　ゆとり世代などといわれる現在の新人は、短期間で会社を辞めてしまうことも多いとされます。役所の業務は減点主義の評価となりがちであり、可能な限り、ほめて伸ばしていくといった視点を盛り込むこともできるでしょう。
　また、団塊の世代の大量退職の影響は常にいわれてきました。自治体では、建築や土木といった分野でノウハウの継承の必要性が指摘されることが多いです。自治体が保有している上水道や下水道、ごみ焼却場といったプラントの管理などは大きな課題といえるでしょう。
　なお、ここでは触れませんでしたが、地方公務員法の一部を改正する法律が2023年４月に施行され、定年が２年ごとに１歳ずつ上げられ、65歳となります。同法では、役職定年制が導入され、課長級以上の職員は課長補佐などになります。こうした制度変更が職場に与える影響も大きく、同法の内容もおさえておきましょう。

あなたは係長として、若手職員の育成[1]にどう取り組みますか。

1 活躍が期待される若手職員

2016年度は増加に転じたものの、**厳しい財政状況の中で、地方公務員数は減少傾向**にある。本市でも、行政改革大綱に基づき、民間委託等を進め、**定員抑制**に取り組んできた。

この結果、各職場は**少数精鋭**となっており、職員は**個々の能力を最大限発揮**し、日々の業務に取り組んでいかなくてはならない。

特に、**定員抑制**については、**退職者を一定程度不補充**とすることにより対応してきており、経験の浅い若手職員であっても、**即戦力**として職場で**活躍**できる環境を整備していく必要がある。

2 若手職員を育成していくうえでの課題

本市における若手職員育成の課題は、次のとおりである。

第1に、若手職員は、担当している**業務の全体像を把握していないこと**から、**消極的であったり、指示待ち**になっている。1つの業務に関する指示に対応すると、次に何をすべきか分かっていない。このため、自ら主体的に動けず、所管する業務に積極的に取り組めていない。

第2に、若手職員は担当している**業務に関する知識やノウハウの理解が十分でない**。少数精鋭の職場となっている中では、先輩の仕事のやり方を盗んで覚えるといった古い発想では仕事が回らなくなっている。若手職員や異動間もない職員でも、より理解しやすい形で知識やノウハウを伝えられるようにしていく必要がある。

第3に、若手職員が**自分の業務内容を他の職員に気軽に聞ける環境にない**。職場の皆が仕事に集中しているため、若手職員が気軽に質問できず、仕事を抱えてしまう結果、遅延が生じてしまっている。特に、先輩との年齢差があるため、コミュニケーションを取りにくい状況を生んでいる。

3 若手職員の育成に向けた対応

私は、次のとおり若手職員の育成に取り組む。

---

(1) ポイントに整理したように、①OJT、②Off-JT、③自己啓発の3つで整理することも可能です。また、若手職員の場合には、階層別の研修などに言及することもよいでしょう。

第1に、**業務を体系的に理解できるように**、係長として指導しながら、若手職員に**自ら業務目標や年間スケジュールを作成**させる。その際、デジタル化など、若手職員の視点から、新たな課題にチャレンジしていく必要性を認識させ、目標等にも反映させる。その計画に基づき、若手職員が自主的に仕事に取り組めるようにする。その内容は職場内で共有し、必要に応じてサポートできる体制を組むとともに、係会議で仕事の進捗状況を確認する機会を設けていく。若手職員がチャレンジし、企画した事項は日常業務への反映も検討し、本人のやる気を高めていく。

　第2に、若手職員が**短期間に知識を得る**ことができるように**マニュアルを作成**する。特に、しばしば市民から問い合わせのある事項などはＱ＆Ａ形式を採用するとともに、図表や業務フローなどを多用し、若手職員が簡単にポイントがつかめるように工夫し、理解を促していく。このようなマニュアル等を活用し、他の職員が繁忙で助言・指導が困難な場合でも、若手職員が**自分で学習できる環境**をつくっていく。

　第3に、**中堅の係員に若手職員の指導員の役割**を持たせ、指導員を中心に**OJTにより育成・指導**に取り組む。若手職員も指導員として**誰に聞けばよいかが明確**となり一人で抱え込むことが少なくなる。また、業務の遅延等の問題が生じた場合でも、指導員が把握し、必要に応じて指導員がサポートすることが可能となり、円滑な職場運営が可能となる。さらに、遅延等の状況によっては**係全体で応援態勢**を組み、**チームで仕事に取り組んでいくように**マネジメントしていく。

4　若手職員が輝き、活躍できる組織へ

　今後の本市の市政運営を考えていくうえで、若手職員の育成は重要な課題である。若手職員が**様々なアイデア**[2]**を職場**にもたらし、活性化することで、**職場を大きく変革**していく必要がある。

　私は、係長として、若手職員の育成に積極的に取り組み、若手職員のアイデアが職務の中で活用され、活力のある職場づくりに取り組んでいく所存である。

（2）　すぐに採用するのは難しいかもしれませんが、前例踏襲といった考えでない自由な発想が求められています。特に、ＳＮＳなどの情報発信という点では様々な提案が可能であり、若手職員のやりがいにつながります。

あなたは係長として、ノウハウの継承[1]をどのように進めますか。

1 求められるベテランのノウハウの継承

　本市では、**団塊世代が大量に退職**し、その**退職者を一定程度不補充**とすることで、**定員管理の適正化**に取り組んできた。このため、多くの現場経験や知識を有する**ベテラン職員が減少**してきている。

　この結果、技術系の職員を中心に、蓄積されてきたノウハウが継承されず、**安定的な業務の継続**がおびやかされる可能性が高くなってきている。実際、本市でも積算ミスなどが発生している。

　こうした中で、**ベテランの蓄積してきたノウハウをスムーズに継承**し、本市の業務を円滑に、効果的・効率的に行っていく必要がある。

2 職場でのノウハウ継承の課題

　職場でのノウハウ継承について、次の課題がある。

　第1に、**職場内でのベテラン職員と若手職員のコミュニケーションが不足**している。年齢差もあり、若手職員とベテラン職員との日常的な会話が行われていない。このため、若手職員から業務に関する質問がしにくい状況となっている。このようなコミュニケーション不足から、職場を通じ、ベテラン職員から**業務に関する生きた知識**を得ることができなくなっている。

　第2に、**ベテランのノウハウが可視化されていない**。既に一定の**業務マニュアル**は作成されているものの、形として決まった事項が載っているにとどまっている。ベテラン職員の**ノウハウを含めた暗黙知が形式知として可視化**されていない。このため、若手職員が業務を進めていくうえで、本当に知りたいような内容が掲載されていない。

　第3に、**担当職員ごとに仕事を進めてきた結果**、担当が**個人で仕事を行う意識**が強く、チームとして仕事ができていない。このため、知識やノウハウが属人的に蓄積されており、**仕事のノウハウが個人から個人という形では十分に継承されていない**。結果として、若手職員が必要なノウハウを十分に有しておらず、**業務上のミス**が増加している。

---

(1) 民間委託等を進めた結果、ノウハウが継承されにくいことも指摘できます。

3 ノウハウの継承に向けた取組

私は、職員間のノウハウ継承に向け、次の取組を進める。

第1に、**ベテラン職員と若手職員を含めた係員全員による係会議**を定期的に行う。この中で、若手職員からも仕事の進捗状況や課題について報告させ、ベテラン職員から若手職員へアドバイス等を行わせる。さらに、**日常業務に関する勉強会**を開催し、仕事の課題等について若手職員を中心に係員から定期的に発表させ、その内容について係員全員で議論するようにする。このような取組の中では、**コミュニケーションが活性化**するよう、**係長としてベテラン職員と若手職員の橋渡し役を積極的に担っていく**。

第2に、**ノウハウの継承が可能となるようなマニュアルの作成**に取り組む。こうしたマニュアルの作成には、ベテラン職員にも加わってもらい、ミスにつながるような場面など気を付けるべきポイントを指摘してもらう。そして、ベテランが**業務を通じて培ってきた暗黙知**を、**図表やフロー図**などを用いて、**可能な限り形式知として可視化**しマニュアルに盛り込んでいく。また、通読するマニュアルというより、必要な場所を必要な時に参照できるよう**FAQ**[(2)]**の充実**にも取り組む。

第3に、**ベテランと経験の浅い若手職員をセットにして業務を行わせる**。具体的には、**指導員と若手職員がペアをつくり、OJT**[(3)]により、ベテランに属人的に蓄積されたノウハウが継承されるようにしていく。その際、適切なコミュニケーションが取れるよう、職員間の相性にも配慮する。

4 安定的な行政サービスの提供に向けて

本市には、行政サービスを**安定的・継続的に提供**していくことが求められる。こうした中では、これまでベテランが培ってきたノウハウをきちんと継承していく必要がある。

私は、ノウハウが継承される職場づくりを進め、**安定的な行政サービスの提供**に貢献できるように取り組む所存である。

---

(2) はじめから通読する形式とするよりも、必要に応じて参照できるマニュアルとするのがよいでしょう。FAQや索引を入れることで、使い勝手の向上につながります。
(3) ここではOJTに触れました。係長という点では、専門職を対象として全庁的な研修の開催を働きかけるといったことも考えられるでしょう。

7. 職員の管理

　自治体では、幾度にもわたり行政改革大綱を作成し、職員管理の適正化に取り組んできました。この結果、**職員数は減少**してきており、**少数精鋭**の中で業務を行っていく必要が生じています。
　こうした環境の中で、業務量や責任が過大となり、**精神的なストレス**を感じ、**精神障害**を起こしてしまう職員が増えています。また、単純なものも含め、**事務処理のミス**が発生するようになってきています。
　少数精鋭の中で職員一人ひとりが**心の健康を維持・増進**しながら能力を発揮することが重要です。また、**住民の信頼を損ねることのないように事務処理ミスの削減**に取り組む必要があります。
　管理監督者である課長や係長は、こうした**職員管理に適切に取り組む**ことが求められます。

> 設問例　課長として、職場でのメンタル・ヘルスの課題にどう取り組みますか。

課題
① 　課長をはじめ**管理監督者がメンタル・ヘルス・ケアの重要性を理解**しておらず、日々の業務の処理に重点が置かれている。
② 　ストレス・チェックの活用法が理解されず、不調のサインに気付いていない。**早期発見・早期対応の仕組みが十分に活用されていない**。
③ 　仕事を担当者一人に任せきりで、複数人での対応がなされておらず、**特定の職員がストレス**を感じている。

解決策
① 　**係長、職員とともに研修等を積極的に受講**する。その際、職員は**セルフ・ケア**、管理監督者は**ライン・ケア**を含めた内容とする。
② 　**ストレス・チェック**を実施し、その**有効活用**に取り組む。その**結果に応じ、事務分担を見直す**。部下の**異変を早期に察知**していく。
③ 　**主担当・副担当制を導入**し、可能な限り**チームで仕事を行う体制**づくりを進める。特定のクレーマーは複数人で対応する。

設問例　あなたは係長として、事務処理ミスの削減にどう対応しますか。

課題
① **業務の細分化・専門化**により**主担当者以外は理解やチェックができ**ない業務が増加している。**組織的なチェック体制が不十分**となっている。
② 住民の信頼を損い、重大な損失を生むという**職員の事務処理ミスに対する意識**が十分でなく、仕事の慣れにより、**漫然と事務処理**がなされている。
③ コミュニケーションや情報共有が不足し、組織として業務を推進し、**事務処理ミスを削減していく意識**が不足している。

解決策
① **事務処理の見える化**を進め、**組織で取り組む**。**チェックシートの導入**により、業務でチェックすべきポイントを明らかにする。
② **職員研修を実施**し、**事務処理ミスの与える影響をきちんと理解**させ、**資質の向上**そして**事務処理ミスの防止**等につなげる。
③ 互いの業務が理解できるよう**職員間の情報共有**を進める。マニュアルとともに、**ヒヤリハット**などの事例を共有し、組織として取り組む。

● キー・ポイント

　メンタル・ヘルス・ケアは、①セルフ・ケア、②ラインによるケア、③**事業場内産業保健スタッフ等によるケア**、④**事業場外資源によるケア**の4つのケアが継続的かつ計画的に行われることが重要とされます。ここでは、①**労働者が自ら行うセルフ・ケア**と、②**管理監督者が行うライン・ケア**を中心にまとめました。
　課税額の算出ミスや、工事の設計時の積算ミスといった事務処理ミスは、しばしば新聞紙上に登場します。小さなミスであっても、その対応に大きな事務処理コストを要し、他業務への影響も小さくありません。
　ここでは、①**組織体制・機能**、②**職員意識**、③**職場環境**等という3つの視点から、一般的な内容でまとめました。自分の職場に置き換えて考えてみると、内容が深まるでしょう。

課長として、職場でのメンタル・ヘルスの課題にどう取り組みますか。

1 求められる職員の能力の発揮

　事務のアウトソーシングなど、**行政改革を進めてきた**結果、**職員数の削減**を達成してきており、一定の**財政効果**を上げてきた。

　一方、**住民ニーズの多様化・複雑化**に対応するため、個々の職員の業務は増大している。**少数精鋭**の職場で職員一人ひとりが能力を最大限に発揮し、業務に取り組んでいかなくてはならない。

　結果として、業務量や責任が過大となり、**精神的ストレス**を感じる職員が増え、**精神障害を発症**し、**長期の病休者数が増加**[1]している。このため、**メンタル・ヘルスの課題に的確に対応**する必要がある。

2 メンタル・ヘルスへの対応の課題

　職員のメンタル・ヘルスへの対応については、次のような課題がある。

　第1に、**管理監督者が職場でのメンタル・ヘルス・ケアの重要性を理解していない**。職員の心の健康の保持・増進は、**職場の生産性確保や活気ある職場づくりに重要**である。しかし、業務が繁忙であり、こうした認識が浸透していない。課長も含め、職場全体が日々の業務の処理に重点を置き、ストレスがたまりやすい状況を生んでいる。

　第2に、**早期発見・早期対応の仕組みが十分に活用されていない**。ストレス・チェック[2]は実施されているものの、管理監督者もその活用法を十分に理解していない。また、職場で不調のサインがみられる職員がいても、周囲の職員が気に留めず、見過ごされるケースも多い。

　第3に、**仕事を担当者一人に任せきりで、複数人で対応されておらず、特定の職員がストレスを感じている**。クレームをいう特定の市民への対応が市民対応の苦手な職員に集中することもある。また、繁忙期に担当者一人に業務が集中しても、周囲の支援を得にくくなっている。

3 心の健康の保持・増進のための取組

　私は、職員の心の健康の保持・増進のため、次の取組を行う。

（1）　30頁注（1）参照。
（2）　ストレス・チェックは、2014年の労働安全衛生法の改正により、2015年12月から義務化されています。同法66条の10に基づく、心理的な負担の程度を把握するための検査をいいます。

第1に、**係長や職員とともに、関連する研修等を積極的に受講していく**。職員には、ストレスやメンタル・ヘルスに対する正しい理解、ストレスへの対処など、**セルフ・ケア**を行えるような研修の受講を勧める。係長には、管理監督者として、「いつもと違う」職員の**不調**等に気付けるように、**ライン・ケア**も含めた研修等の受講を促していく。研修の資料は**課内で供覧**し、その内容を**課内会議で議論**することで、**職場全体でメンタル・ヘルス・ケアの重要性**への認識を深めていく。

　第2に、**ストレス・チェックの実施**だけでなく、**有効活用**にも取り組んでいく。課単位の結果とともに、係単位での実施結果も用いながら、その分析結果を踏まえ、よりきめ細やかな対応を行っていく。結果によっては**事務分担の見直しも実施**する。ストレス・チェックの活用と合わせて、定期的な面談、日常的なコミュニケーション、出退勤状況の確認などにより、日頃から部下の状況を的確に把握し、**異変を早期に察知**できるようにする。こうした取組を通じ、係長と連携しながら、職員の**心の健康の維持・増進**に取り組む。

　第3に、**主担当・副担当制を導入し**、可能な限り**チームで仕事を行う体制**づくりを進める。特に、主担当・副担当相互がカバーし合える環境とともに、互いに相談しやすい雰囲気づくりに取り組む。また、全員参加による課内会議を定期的に行うなど、課内のコミュニケーションが活性化し、仕事を一人で抱え込まないような環境づくりを進めていく。さらに、特定のクレーマーについては必ず複数人で対応するようにし、一人の職員に負担が集中しないようにしていく。

4　職員がいきいきと職務に従事する職場へ

　様々な住民ニーズへの対応が求められる中で、職員には**心の健康を保持・増進**し、その**能力を最大限発揮**してもらう必要がある。

　私は課長としてメンタル・ヘルスの課題に的確に対応し、職員がいきいきと職務に従事できる環境整備に取り組む所存である。

> あなたは係長として、事務処理ミスの削減にどう対応しますか。

1 住民から信頼される行政の必要性

少子高齢化をはじめ社会環境が変化する中で、**行政課題は複雑化**し、**住民ニーズは多様化**している。本市は、こうしたニーズに的確に対応しながら、**安定的に行政サービスを提供**していく必要がある。

一方、本市でも、工事の設計積算ミスによる入札中止など[1]、**職員の不注意等**に起因する**事務処理ミスが増加**し、報道等で取り上げられている。事務処理ミスは仕事の遅延を招いたり、行政サービスへの影響も小さくない。特に、過日の固定資産税の課税ミスは多くの住民に迷惑をかける事態となり、多くのお叱りの電話をいただいた。

こうしたミスは、**住民の市政への信頼喪失**、**安定的な行政運営の阻害**につながりかねず、その防止に取り組んでいく必要がある。

2 事務処理ミスが発生する要因

事務処理ミスの発生には、次の要因がある。

第1に、**業務の細分化・専門化により主担当者以外は理解やチェックができない業務が増加**している。このため、ダブルチェック等が行われにくく、本人がミスすると、そのまま是正されることなく業務が進んでしまう。さらに、業務の多忙から、チェック時間も十分に取れていない。このように、**組織的なチェック体制が不十分**となっている。

第2に、**職員の事務処理ミスに対する意識が十分でない**。事務処理ミスは**住民の信頼を損ない**、**重大な損失**を生むという職員の意識が十分でない。さらには、定型業務であったり、仕事の慣れなどもあり、**漫然と事務処理**が行われる結果、事務処理ミスが増加している。

第3に、**職場でのコミュニケーションが不足しており**、**情報共有が行われていない**。職員が互いの業務を理解しておらず、他の職員のヒヤリハットの事例[2]なども共有されていない。組織として業務を推進し、**事務処理ミスを削減していこうという意識が不足**している。

---

(1) 多くの自治体が事務処理ミスを大きな課題として認識しており、対応方針等を作成しています。自分の自治体のものもチェックしてみましょう。
(2) 重大事故等には至らないが、その直結のおそれのある"一歩手前"の事例です。

3　事務処理ミスの削減に向けた取組

　私は、事務処理ミスの削減に向けて、次の取組を進める。
　第1に、**事務処理の見える化を進め**、**組織で事務処理に取り組む体制づくり**を推進する。担当一人が事務を理解するのではなく、マニュアルの見直しを進め、他の職員も事務内容を把握でき、共有できるようにする。その際、ミス発生や**ヒヤリハット**のポイントなども提示していく。あわせて、**事務処理のチェックシート**[3]を導入する。シートを用いて、各業務の事務処理において、ミス防止の観点から、業務の手順にそって最低限チェックすべきポイントを確認する。こうした取組により、事務処理ミスの削減につなげる。また、**職員異動時に事務処理ミスが多い**[4]ため、**円滑な引継ぎ**が行われるよう徹底していく。
　第2に、**職員研修を実施し**、**事務処理ミスがもたらす影響をきちんと理解**してもらい、**事務処理ミス防止等**につなげる。研修の中では、具体的なミスの事例を題材として、グループワーク等を行い、事務処理ミスが発生した理由を考えながら、議論してもらう。こうした中で、**ミス防止の重要性を職員に気付かせていく**。さらに、事務処理に必要な知識能力に関する研修を実施し、**職員の資質向上**につなげる。
　第3に、**互いの業務が理解できるよう職員間の情報共有**を進める。職員も含めた**係会議を定期的に開催**し、ミスや**ヒヤリハット**の事例などの情報共有を進める。会議では、事例報告とともに、意見交換を行う。マニュアル等は共有フォルダに保存し、**情報共有**を進め、**組織として事務処理ミス削減に取り組む機運を醸成**していく。

4　信頼される行政の確立に向けて

　信頼される行政の確立に向けて、事務処理ミスの削減に全庁を挙げて取り組んでいく必要がある。
　私は、係長として、先頭に立って、職場における事務処理ミスの削減に取り組んでいく所存である。

（3）　事務処理ミスの削減のために、一定のチェックポイントをリスト化しておくのは効果的です。月末の点検など、様々な確認作業に応用可能です。
（4）　引継ぎ時の事務処理ミスが多いとされ、福祉分野では、自治体間でケースが移動した場合に問題が発生する場合もみられます。

8. 住民対応

　新型コロナウイルス感染症対応として給付された10万円の定額給付金に関して、オンライン申請の様々な課題が浮き彫りになりました。この結果、国主導でDX（デジタルトランスフォーメーション）の取組が進められています。自治体にも、**来庁せずとも、行政サービスが提供できるデジタル化の取組**が求められています。

　また、自治体の窓口には、様々なクレームが住民から寄せられます。こうした**クレームは行政サービスの改善に生かすことができる大きな財産**です。しかしながら、こうしたクレームに対しては**場当たり的に対応**がなされ、**組織的な対応**がなされていないものもみられます。

　こうした中で、窓口サービスやクレーム対応をいかに向上・充実させていくかが問われています。

設問例　あなたは課長として、窓口サービスのデジタル化にどう取り組みますか。

課題
① **市独自の手続きも多く、対面を基本とした事務処理フロー**となっており、オンライン化の前提条件が整っていない。
② **組織間の連携**がなされておらず、結果としてシステム連携が不十分で、**窓口に来てもらわないと完結しない手続きも多い**。
③ 既にオンライン化に取り組んでいるものの、**市民への情報提供が十分でなく**、来庁して手続きをするケースも多く、活用されていない。

解決策
① 国による情報システム標準化の動向を踏まえながら、**対面・書面・押印といった業務プロセスを抜本的に見直す**。
② 関係課と連携し、標準化の対象とならないものも含め、**事務処理フローを見直し、一体的に処理できる取組**を進める。
③ マイナンバーカードの取得を促すとともに、取得時に市のオンラインで手続き可能な業務を周知していく。

設問例　あなたは係長として、住民のクレームにどう対応しますか。

[課題]
① 住民からの**クレームを受けたくないという意識が職員に強い**。初期対応に消極的で、**重大な二次クレームに発展**している。
② クレーム対応技術が十分ではなく、接遇の基本的な技術を習得しておらず、相手を怒らせてしまうケースも発生している。
③ その場が収まればよいといった発想が職員の間に強く、**クレームの内容が共有されていない**。

[解決策]
① 職員にクレーム対応力の向上によるメリットも示しながら、**お客様である住民のクレームへの的確な対応の必要性を理解**させる。
② クレームを聞く際のポイントや、説明に当たって気を付けるべき点などについて**接遇の研修を実施**し、対応能力の向上につなげていく。
③ **組織として積極的に住民からのクレームを収集・蓄積**し、それをよりよい**行政サービスの提供**につなげていく。

●キー・ポイント

　ここでは、職場・職務系論文としてデジタル化を取り上げました。政策系論文として取り上げることも可能です。この場合、①自治体のデジタル化（手続きのオンライン化、キャッシュレス化）、②民間事業者のデジタル化（中小企業への情報提供、相談支援の充実）、③デジタル人材の確保・育成（求職者への教育、大学等との連携など）が考えられます。また、自治体DX推進計画は業務への影響も大きく、一読しておきましょう。

　クレームに対しては**初動対応**が非常に重要です。電話をたらいまわしにされた後、担当課につながった時には、お客様が激高しているといった事態も想定されます。いったん電話を切り、折り返すといった対応が求められます。また、自治体として**総合案内**を設置し、その電話番号を市民に周知し、そこから各部署へつなぐといった**ワンストップ化**の取組も考えられます。

あなたは課長として、窓口サービスのデジタル化にどう取り組みますか。

1　コロナ禍でも求められる安定的な行政サービスの提供

　2020年1月の国内感染者の確認以来、新型コロナウイルス感染症は社会とともに、行政のあり方にも大きな影響を与えている。

　本市は、緊急事態宣言等を踏まえながら、イベント等は中止とする一方、感染対策を講じながら、図書館・公民館等の公共施設の開所、窓口サービスの継続など、**安定的なサービス提供**に取り組んできた。

　特に、今後懸念される感染再拡大に対しては、**窓口サービスのデジタル化**を着実に進め、**感染リスクを低減**しながら、安定的・継続的に行政サービスが提供できる体制を構築しなくてはならない。

2　窓口サービスのデジタル化の課題

　窓口サービスのデジタル化について次の課題がある。

　第1に、**市独自の手続きが多く、また、対面を基本とした事務処理フロー**となっており、**オンライン化の前提条件が整っていない**。本市では過去の経過もあり、独自の項目を加えた申請書を用いているものも多い。また、既に近隣自治体でオンライン化がなされているものについて、**本市では対面での本人確認が前提**となっている。このように従来から市が独自に構築した事務処理が継続されており、コロナ禍でオンライン化を進める弊害となっている。

　第2に、**組織間の連携がなされていない**。一部の事務はオンライン化されているものの、連携してシステム化に取り組まれておらず、結局**窓口にお越しいただかないと完結しない手続きも多く**なっている。

　第3に、デジタル化に関する**市民への情報提供が十分でない**。市民課では、コロナ禍以前から国の動向も踏まえ、デジタル化の取組を進めてきている。このうち、住民票の発行はマイナンバーカード取得者を対象にコンビニエンスストアでの交付を始めており、窓口に来ていただかなくとも対応できるようになっている。しかしながら、来庁して取得するケースが多く、マイナンバーカードの取得率も4割程度にとどまっている。

3　デジタル化推進の取組

　私は、課長として、関係課長からなる幹事会、係長からなるワーキン

グ・グループを立ち上げ、デジタル化の取組を推進していく。

　第1に、**国が進めている地方自治体業務プロセス・情報システム標準化**[1]の動向を踏まえながら、現行の**業務プロセスを抜本的に見直す**。特に、**対面・書面・押印**といったこれまで市役所の窓口で当たり前とされてきた**業務を見直し**、オンライン化の検討を進める。また、国で重点的に自治体にオンライン化を促している子育て関係や介護関係の手続きについては早急に対応を行う[2]。

　第2に、住民基本台帳等を活用した業務については、**関係課と連携し**、標準化等の対象とならないものも含め、**全体の事務処理フローを見直し**、オンライン化を進める。特に、出産等の住民のライフイベントに合わせて、**一体的に処理**できるように取組を推進する。

　第3に、マイナンバーカードとともに、本市の**デジタル化の取組を様々な媒体を用いて周知**していく。この間、土日も対応できる窓口を設け、**マイナンバーカードの取得**を促してきた。さらに、国の施策と合わせながら、取得を促し、取得の際に本市での活用法を示したリーフレット等を配布し、**デジタル化の取組を周知**していく。

4　デジタル化の推進による住民の利便性の向上に向けて

　自治体としては、コロナ禍を単なる災いとしてとらえるのではなく、これを好機としてとらえ、デジタル化を加速化させていく必要がある[3]。

　私は、課長として、積極的にデジタル化を推進し、住民サービスの向上に貢献していく所存である。

---

(1)　国は、自治体の主要な20業務について標準化を進めることとしています。一度確認してください。
(2)　自治体デジタル・トランスフォーメーション（DX）推進計画では、「特に国民の利便性向上に資する手続」として31を挙げています。
(3)　新型コロナウイルス感染症からの経済復興に当たっては、環境に配慮しながら回復を目指すグリーンリカバリーの必要性がいわれています。

あなたは係長として、住民のクレームにどう対応しますか。

1 住民のクレームへの的確な対応の必要性

民間企業では「クレームは宝の山」といわれる。クレームは、サービス提供への的確な改良・改善に活用していくことで、顧客満足度の向上や売上の増加につなげることが可能である。

一方、市の職員は全体の奉仕者であり、どの住民に対しても公平に扱う必要があり、また、法令に従って事務を行っている。このため、融通が利かない、前例踏襲といった指摘もあり得る。また、公権力に基づく強制力を持っていることから、高圧的ととられることもある。

こうした行政の特性を踏まえながらも、お客様である住民に対して、満足いただける行政サービスを提供していく必要がある。

2 住民からのクレーム対応での課題

住民からのクレーム対応について、次の課題がある。

第1に、住民からのクレームを受けたくないという意識が職員に強い。このため、住民から寄せられるクレームへの初期対応に職員は非常に消極的となっている。結果として、対応が後手になり、事態がこじれ、より重大な二次クレームに発展する場合も発生している[1]。

第2に、クレームへの対応技術が十分でない。住民をお客様として迎える、意見等を傾聴するといったことが通常の住民対応とともに、クレーム対応でも重要である。こうした接遇の基本的な技術が習得できておらず、相手を怒らせてしまうケースも発生している。

第3に、その場が収まればよいといった発想が職員の間に強く、クレームの内容が共有されていない。しばしば寄せられるクレームに対しては、サービス提供の改良や改善につなげていく必要がある。だが、改善に役立てていく組織的な対応が行われていない。

3 クレーム対応能力等の向上に向けた取組

私は、次のクレーム対応能力向上策に取り組む。

第1に、お客様である住民のクレームへの的確な対応の必要性を職員に理解させる。この理解がなければ、どんなに対応のスキルを向上させても、

---

(1) 「たらいまわし」などはこうした事例の1つといえます。

クレームを活用して行政サービスを向上させるという発想にはつながらない。実際の事例等を交えた研修等により、クレーム対応能力の向上を図り、**クレームに潜む住民ニーズを感じ取り**、それを**住民満足度の向上につなげていく必要性**を理解させていく。また、クレームへの対応能力の向上により、**対応時間が軽減され**、**業務を円滑に行うことができる**メリットも示していく。

　第2に、**接遇の研修を実施し**、クレーム対応能力の向上につなげていく。研修を通じて、クレームを聞く際のポイントや、説明に当たって気を付けるべき点などを学習する。さらに、研修では、ペアをつくり、一方がクレームをいう側となる**ロールプレイ**なども取り入れながら、**より実践的な内容**としていく。こうした研修の成果は、**ミステリーショッパー**[2]等による**サービスの評価、窓口利用者アンケート等を実施し、効果測定**を行う。このように実践、評価という**PDCAサイクル**を通じて、**よりよい行政サービスの提供**につなげていく[3]。

　第3に、**組織として積極的に住民からのクレームを収集・蓄積し、それをよりよい行政サービスの提供**につなげていく。クレームが寄せられた際には、**対応した職員が記録し、それを共有する**[4]。この内容をまとめ、係内で発生原因、サービス等の改善の可能性等を議論し、改善可能な場合は日々の行政サービスの提供に活用していく。また、改善が難しい場合でも、その理由を共有することで、以後の住民対応に生かしていく。さらに、クレームへの対応等を**マニュアル化**し、クレーム対応能力の向上につなげていく。

4　住民満足度の向上に向けて

　お客様から寄せられる様々なクレームを積極的に受け入れ、行政サービス、そして**住民満足度の向上**につなげていく必要がある。

　私は、このようなクレーム対応ができる職場の実現に向け、取り組んでいく所存である。

（2）　覆面調査ともいわれ、主に接客サービス向上のために行われる調査手法です。
（3）　窓口サービスでも、目標を立て、改善し、チェックし、次の改善につなげるというPDCAサイクルの必要性に言及してよいでしょう。
（4）　住民の声システムなどとして、全庁的に共有されている場合はその活用を挙げてもよいでしょう。

9. リスク・マネジメント

自治体が対応すべきリスクには様々なものがあります。

事件・事故としては、職員の行為に伴うものと、施設で起きるものがあり、前者には汚職、公金の着服、公用車事故、飲酒運転などがあります。また、後者には、道路やスポーツ施設等の瑕疵によって生じる事故などがあります。前者については、特に地方自治法の改正により、**都道府県等には、内部統制制度が義務付け**られました。自治体には、組織として、予めリスクがあることを前提として、法令等を遵守しつつ、適正に業務を執行することが求められます。

一方、新型コロナウイルス感染症対応を契機として、新興感染症等への対応として業務をいかに継続していくかが求められています。

> 設問例 あなたは課長として、職員の不祥事防止にどう取り組みますか。

課題
① 金銭の管理体制が不十分である。準公金金銭管理マニュアルが形骸化している。親睦会等の費用の管理は担当任せである。
② 長期に配属された職員に公金の取扱い等を任せきりで、チェック機能が適切に働いていない。**ブラックボックス化**している。
③ 業務手順が可視化されておらず、リスク評価もなされていない。**内部統制の仕組み・法令順守の意識が不十分**となっている。

解決策
① 金銭管理のマニュアルを見直し、複数人が関与するなど、**取扱手順の適正化**を進める。実行委員会方式の会計などは見直す。
② 公金管理や許認可、工事等の入札・契約事務等に従事する職員は一定期間で異動させるなど、**適切な人事ローテーション**を実施する。
③ **内部統制や法令順守を徹底**する。事務処理の可視化やリスク評価を行う。法令順守の浸透のために**研修等を実施**する。

設問例　あなたは課長として、コロナ禍での業務の継続にどう取り組みますか。

課題
① 非常時に柔軟な職員配置を可能とする業務継続計画の定期的な見直しが行われていない。**弾力的な職員の配置が困難**となっている。
② 市民サービスの提供を支える本庁部門のリスク管理が不十分であり、**職員は登庁して業務に対応している**。
③ **窓口業務が来庁を基本**としており、職員、申請者の両方に感染リスクがある。窓口閉鎖のリスクもある。

解決策
① **国の感染レベルに応じた業務の継続の可否を明確**にする。あわせて、今回のコロナ禍を契機として業務の効率化を図る。
② **テレワークや時差勤務**を積極的に導入する。**打ち合わせをオンラインで行う**など、感染リスクを低減できるよう業務を見直す。
③ **対面を基本とした窓口サービスを見直す**。郵送での受付や、メールへの添付での対応を可能とする。

●キー・ポイント

　地方自治法改正を契機に、自治体の内部統制が問われています。内部統制は①**業務の効果的かつ効率的な遂行**、②**財務報告等の信頼性の確保**、③**業務に関わる法令等の遵守**、④**資産の保全**の４つの目的が達成されないリスクを一定の水準以下に抑えることを確保するために、業務に組み込まれ、組織内のすべての者によって遂行されるプロセスをいいます。具体的には、①**統制環境**、②**リスクの評価と対応**、③**統制活動**、④**情報と伝達**、⑤**モニタリング（監視活動）**及び⑥**ICT（情報通信技術）への対応**の６つの要素から構成されます。「地方公共団体における内部統制制度の導入・実施ガイドライン」を一読するとよいでしょう。
　リスクマネジメントとしては様々なものがあります。ここでは職場単位の危機事象として新型コロナウイルス感染症への対応に特化しました。大規模災害時の対応などは、専門部署を中心にマニュアル等が策定されています。こうした中で、**連絡体制**などでまとめることも可能です。

あなたは課長として、職員の不祥事防止にどう取り組みますか。

1　不祥事防止の必要

　飲酒運転による人身事故、贈収賄など、地方公務員の不祥事がマスコミに大きく取り上げられることも多い。

　地方公務員には、**全体の奉仕者**として住民の負託にこたえ、**法令を遵守した職務執行**が求められる。特に、公務員への社会の目は厳しく、不祥事は**市の組織全体の信用の失墜**につながり、その後の運営にも影響する。

　こうした中で、課長には、**職員一人ひとりの自覚**を促し、職員が不祥事を発生させないように取り組んでいく必要がある。

2　不祥事発生の未然防止に向けた課題

　不祥事発生の未然防止に向けては、次の課題がある。

　第1に、**金銭の管理体制が不十分**である。公金管理はルールに基づき行われている。一方、イベントで参加者から実費徴収した保険料などについての準公金金銭管理マニュアルが形骸化しており、**管理が十分とはいえない**。課が事務局を担っている**実行委員会の監査は年度終了時のみ**となっている。また、**親睦会等の費用の管理は担当任せ**となっている。さらに、高額の消耗品や切手等の管理も、決裁等の手続きは経るものの、出納管理、在庫チェック等は担当に任されている。このため、ほぼ一人で実際の事務処理が完結され、チェックが十分でない。

　第2に、同一の課に**長期に配属された職員に公金の取扱い等を任せきり**にしており、チェック機能が適切に働いていない。一人の職員に事務を任せることによって、事務の効率化が図られる部分はある。だが、事務処理が**ブラックボックス化**してしまっている。

　第3に、**内部統制**[1]**を行う仕組みが不十分**である。課の事務には財務や資産に係るものもあり、手順やリスクも異なっている。だが、それぞれの**業務手順が可視化**されておらず、**リスク評価**もなされていない。業務が多忙の中で、**法令順守の意識も浸透していない**。

（1）　内部統制は、2017年の地方自治法改正により、2020年4月から都道府県等に、方針の策定と、内部統制評価報告書の作成、議会への提出が義務付けられました。

3 不祥事発生の防止策

　私は、不祥事発生防止に向け、次の取組を進める。
　第1に、**準公金金銭管理のマニュアルを見直し**、**取扱手順の適正化**を進める。また、準公金を含めた保管金等について、複数人が出納、残高管理等の段階で関与し、適正に取り扱えるようなルールづくりを進める。さらに、**実行委員会方式のイベント**のうち、市の負担割合が大きいものは、**市の直接執行への変更も検討・実施**していく。**親睦会等の会費**も、当該口座を**課長名義で作成**し、**支出時には確認**するなど、課長として一定の関与をしていく。あわせて、価格の高い消耗品、切手等も課長が立ち会って**月末に残数の確認**を行うなど、管理を徹底していく。
　第2に、一定の年限で人事異動を行うなど、**適切な人事ローテーション**を実施する。特に、公金等の取扱いに係る職員とともに、許認可や工事等の入札・契約事務等に従事する職員は一定期間を経て異動させるルールを徹底する。あわせて、**副担当制の導入**など、複数人で対応することで、適正な執行が行える体制づくりを進めていく。
　第3に、**内部統制・法令順守を徹底**する。内部統制制度を活用し、**事務処理の可視化**[2]や**リスク評価とその対応**[3]を進める。リスクが高い事務は、管理職の関与を強めるなど、事務フローの見直しを行う。あわせて、法令順守意識の浸透のための**研修等を実施**する。特に、公務員としての**地位が失われるリスク**を説明し、**法令順守の意識を高めていく**。また、職員の守るべき事項を示した名刺サイズの服務必携を配布し、それを常に所持させ、公務員としての自覚、適切な対応を促す。

4 住民から信頼される行政の確立に向けて

　住民から信頼を得ていくためには、**不祥事を起こさない**必要があり、その**防止**のための環境づくりが求められる。
　私は、課長として、職員が**全体の奉仕者**として負託を受けていることを自覚し、職員が不祥事を起こさない職場づくりに取り組んでいく所存である。

（2）　このためのマニュアルの作成等が考えられます。
（3）　組織目標の達成を阻害する要因をリスクとして識別、分析及び評価し、適切な対応を行う一連のプロセスをいいます。

あなたは課長として、コロナ禍での業務の継続にどう取り組みますか。

1 コロナ禍でも求められる行政の業務継続

　新型コロナウイルス感染症は、2020年1月に初の国内感染者を確認して以来、感染拡大と縮小を繰り返してきており、変異株の出現など、いまだ収束は見えていない。

　このような感染症の特徴から、その直接的な対応とともに、窓口サービスなど、**行政の業務継続のあり方にも課題を提起**した。

　今後も懸念される感染拡大に対して、**住民生活に不可欠な行政サービスを安定的・継続的に提供**し、**業務を継続できる体制を構築**しなくてはならない。

2 コロナ禍における業務継続の課題

　私の所属する本庁の地域振興課の業務継続には次の課題がある。

　第1に、**非常時に柔軟な職員配置を可能とする業務継続計画**[1]**の定期的な見直しが行われていない**。コロナに対応していくうえでは、自所属で優先的に行うべき業務を明確化し、それを継続することに加え、ワクチン接種、経済困窮者への給付など、通常業務以外の新規業務への応援にも対応していく必要がある。だが、新型コロナウイルス感染症に対応した計画となっていず、また、業務継続計画の継続的な見直しが行われておらず、**弾力的な職員の配置が困難**となっている。

　第2に、**市民サービスの提供を支える本庁部門のリスク管理が不十分**である。本庁の管理部門である本課は、感染リスクを減らすため、時差勤務や在宅勤務等を推進する必要がある。だが、対面重視の組織風土が依然として残っており、**職員は登庁して業務に対応している**。

　第3に、**窓口業務が来庁を基本**としている。感染拡大期でも、町内会役員等には来庁していただき、職員が個々のサービス提供に対面で対応している。このため、**職員、申請者の両方に感染リスク**があり、A市のように、窓口業務を閉鎖せざるを得ないリスクも抱えている。

（1）　業務継続計画はBCP（Business Continuity Plan）であり、新型コロナウイルス感染症対応としてBCPが発動された団体もあります。自身の自治体や部署のものも一読しておきましょう。

3　業務の継続に向けた取組

　上記の課題に対し、私は課長として、次の取組を行う。
　第1に、職員に指示するとともに、支所や出張所の地域課と連携しながら、現在の**業務の優先順位の見直しを行い**、**国の感染レベルに応じた業務の継続の可否を明確**にする。あわせて、今回の**コロナ禍を契機として業務の効率化**を図る。これまでの業務継続計画の中で優先順位の低かった住民間のネットワークの確保は、コロナ禍が長引く中で、重要性が高まっており、感染拡大期を除き、継続する。一方、毎年定期的に行っているNPO支援講座は、本庁が主体となって実施し、感染拡大期以外は、**対面とオンラインのハイブリッド開催**とし、**内容をアーカイブにしていつでも視聴可能**とし、効率的な運用に取り組む。このように、業務全体を見直し、感染レベルにあわせ、優先順位をつけながら、業務継続計画に反映させていく。
　第2に、**テレワークや時差勤務**を積極的に導入する。本庁では、電話対応などがあるものの、必ずしも全員が出勤して業務にあたる必要はない。このため、対面中心の業務を見直しながら、現在配備されている端末の台数に合わせて、テレワークを実施するとともに、時差勤務の実施を促す。支所や出張所の業務も、**打ち合わせをオンラインで行う**など、**感染リスクを低減**できるよう業務を見直していく。
　第3に、**対面を基本とした窓口サービスを見直す**。毎年の町内会の補助金申請については、役員が高齢であることにも配慮し、**郵送での受付を基本として書類の簡素化を図る**など、見直しを実施する。あわせて、NPOからの報告は押印を省略し、**メールへの添付での対応を可能とする**など、**対面を基本とした手続きの見直し**を進める。

4　リスクに対応できる行政を目指して

　新型コロナウイルス感染症への対応の長期化に伴い、感染拡大の防止に配慮しながらも、感染状況、そして業務内容に応じ、必要な業務を継続していく必要がある。
　私は、新型コロナウイルス感染症対応が長引く中にあっても、課長として、業務の優先順位をつけながら、求められるサービス提供を可能とするように取り組み、リスクに対応できる行政の構築に貢献していく所存である。

10. 職場での市民参加・協働の推進、情報発信

　社会経済状況の変化の中で、**地域課題は多様化・複雑化**してきており、その課題に**行政のみで対応**していくには**限界**があります。

　このため、**市民の方たちと連携**しながら、行政運営を進めていく必要があります。具体的には、行政運営に関する**情報を提供**したり、**政策形成過程への参加**、一緒に**地域課題に取り組む協働**の取組が求められます。

　また、行政は様々な業務を行っています。こうした業務に関する情報を、その対象である**住民に的確に伝えていく**ことが求められます。特に、行政の情報発信は形式的であったり、一方的になりがちです。このため、職員の意識を高め、きちんと**伝わる情報発信**をしていく必要があります。

> 設問例　あなたは課長として、市民参加・市民協働をどう進めますか。

課題
① 広報等で市政情報は提供されているものの、決定後の内容が中心で、**市民参加に必要な政策形成過程の情報となっていない**。
② 政策形成過程での**市民意見聴取の機会はパブリックコメント等限定的**となっており、市民が意見をいうのは困難となっている。
③ **市民と協働しようとする職員は限定的**である。多くの職員はNPO等を一業者とのみ認識しており、協働による相乗効果を上げていない。

解決策
① **市民生活に影響を与える政策変更などは早い段階から情報提供する**など、情報公開でなく、**積極的な情報提供**に取り組む。
② **審議会等への公募委員の割合を増やす**。無作為抽出による市民参加手法等を取り入れ、**政策形成の早い段階で参加の機会を設ける**。
③ **協働の方針**を周知し、職員には**協働の研修への参加**を促し、方針の浸透を図る。さらに、**協働型の委託事業方式を採用**していく。

設問例　あなたは係長として、積極的な情報発信にどう取り組みますか。

課題
① 様々な情報の提供を行うことによって、情報が埋もれてしまうこととなり、**情報を必要とする住民に届いていない**。
② **情報発信が一方的**で、お知らせすればよいという意識を持っている。特定の層を対象とした情報でも**PULL型広報**にとどまっている。
③ 広報が行政の活動を市民に知ってもらう、**市民と行政の重要な接点**であることを、職員が認識していない。

解決策
① **情報発信のターゲットを明確にした広報を実施**する。子育て世代など、対象に応じ、チラシの配架場所や、手段・手法を選択する。
② SNS等、**情報を双方向にやり取りできる新たな情報媒体を活用**する。スマートフォンアプリ等を活用し、**PUSH型広報を実施**する。
③ **係員への研修等を通じ、行政情報を住民に伝える重要性**を認識させ、広報マインドを植え付けていく。

●キー・ポイント

　市民参加・協働は、自治体全体を対象として取り組むという視点から、政策系論文としてまとめることも可能です。しかし、ここでは所管課レベルで取り組むべき事項をまとめました。128・129頁の論文も参照してください。
　情報発信も同様に政策系論文としてまとめることが可能です。所管課レベルで取組が可能な事項と、職場で対応可能な取組があります。また、情報発信については、**マスコミへの適切な情報提供**により、記事にしてもらうといった視点も論文に取り入れることができるでしょう。
　両者について、**自治体全体の取組状況を把握**したうえで、職場での取組を論じていく必要があります。

あなたは課長として、市民参加・市民協働[1]をどう進めますか。

1 求められる市民参加のまちづくり

　高度経済成長期には、社会インフラ等を効率的に、短期間で急速に整備していくため、**画一的なまちづくり**が進められてきた。

　成熟型社会への移行に伴い、社会インフラも一定程度充足されてきた。こうした中で、**地域の特性を踏まえながら**、**多様化する住民ニーズに対応**したまちづくりに取り組んでいかなくてはならない。

　このため、行政運営の様々な場面で、市民の方たちの**参加**を得て、**協働**しながら、**地域のまちづくり**を進めていく必要がある。

2 市民参加・市民協働の課題

　本市の市民参加・市民協働の課題は、次のとおりである。

　第1に、広報等で情報提供されているものの、決定後の内容が中心で、**市民参加に必要な政策形成過程の情報となっていない**。また、本市では政策・施策の実施結果を毎年取りまとめ、公開し、意見を求めている。だが、情報が実施結果であることもあり、寄せられる意見は毎年決まった市民からであり、限定的となっている。

　第2に、政策形成過程での**市民意見聴取の機会はパブリックコメント等限定的**となっており、市民が意見をいうのは困難となっている。重要な政策は、学識経験者や利害関係者等から構成される審議会を設置し、その答申を踏まえ、立案している。会議は公開されているものの、昼間に開催されており、一般市民の傍聴は容易ではない。また、パブリックコメントの実施は、政策内容がほぼ固まった段階であり、政策形成過程で意見をいうのは困難となっている。

　第3に、職場で**市民と協働する意識を持つ職員は限定的**となっている。**全市的な協働方針が策定**されているが、職員の理解は十分でない。一部の事業は、NPOに委託されているものの、多くの職員は**安価な一業者**という認識であり、協働による相乗効果を上げていない。

（1）　自治基本条例などでも「情報共有」「参加」「協働」が柱とされ、職員にもこうした意識が求められるところです。ここでもこうした分類を採用しました。

3　市民参加・市民協働の推進に向けた取組

　私は、次のとおり市民参加、市民協働を進めていく。

　第1に、**情報公開**にとどまらず、**積極的な情報提供に取り組む**。説明責任を果たすため事業の実施結果の報告を行うことに加え、審議会等で議論されている**政策形成過程情報**も含め、インターネット等を活用し**積極的に情報提供**していく。特に、**事業者の事業活動や市民生活に影響を与えるような政策変更は政策形成の早い段階から住民説明会等も開催しながら、情報提供に取り組んでいく**。

　第2に、学識経験者、住民代表としての町内会・自治会関係者、経済団体等の推薦委員に加え、**審議会等への公募委員の割合を増やしていく**。さらに、より多くの市民の意見を聞くため、無作為抽出[2]によりメンバーを集め、ワークショップやワールドカフェ[3]方式の**市民参加の会議を審議会等とは別に開催**していく。また、対象となっている政策課題について広く住民アンケートを実施し、一般市民の意見を反映できるようにする。このような手法を**政策形成の早い段階**で採用し、寄せられた意見等を審議会等で取り上げながら、答申や実際の政策内容に反映していく。

　第3に、**市の協働の方針を職員に周知し、協働に取り組む方向性を明確に示していく**。具体的には、市の協働の方針の内容を職員に浸透させるため、**研修への参加を促す**。さらに、学校や住民を対象とした教育事業など、事業特性に応じ、協働して行うことで、よりよい成果が期待できるものは、**協働型の委託事業方式を採用する**。こうした取組により、協働を推進する環境整備に取り組む。

4　豊かな地域社会の構築に向けて

　多様化する住民ニーズに対応していくには、**行政だけでは限界**があり、市民参加や市民協働を通じて行政運営を進める必要がある。

　私は、市民参加・市民協働を推進し、豊かな地域社会の構築に貢献できるよう取り組んでいく所存である。

---

(2)　ランダムサンプリングともいわれ、住民基本台帳などから対象者を無作為に抽出する方式です。
(3)　話し合いの場で、少人数のグループに分かれて、他のグループとメンバーを交換しながら交流し、考えを共有し、多様な意見を創出する議論の方式をいいます。

あなたは係長として、積極的な情報発信にどう取り組みますか。

1 住民への積極的な情報発信の必要性

「ゆりかごから墓場まで」といわれるように、本市は、住民の生活に係る様々な業務を担っている。その対象は、業務により異なり、住民が必要とする情報もその属性等により違ってくる。

一方、**情報化の進展**の影響もあり、SNSをはじめ、**様々な情報発信のための媒体やツールが整備**されるようになっている。

こうした中で、情報を必要とする住民に的確に提供していくには、適切な情報発信媒体、情報発信ツールを選択していく必要がある。

2 住民への情報発信の課題

現状、子育て支援課の情報発信については次の課題がある。

第1に、様々な情報の提供を行うことによって却って情報が埋もれてしまうこととなり、**情報を必要とする住民に届いていない**。市の広報誌をはじめ、様々な情報を多くの市民の方々に伝えていく必要性は大きい。一方、子育て情報は子育て世代、特定の地域の情報はその地域の居住者といった形で、住民が求めている情報は異なっている。だが、様々な情報が対象を明確に意識することなく、提供されている。このため**情報が、必要とする住民に伝わっていない**状況を生み出している。

第2に、**情報発信が一方的**で、**お知らせすればよいという意識**を職員が持っている。市の広報誌や、HPへの掲載、町内会・自治会でのチラシの回覧など、一定の手段で情報を発信すれば自分の責任は果たしたという意識を職員が持っている。結果として、既往の情報発信手法を活用したという手続きを経ることのみに力点が置かれ、情報が対象に伝わりにくい状況を生み出している。また、特定の層を対象とした情報でも、**PULL型**[1]**広報**にとどまっている。

第3に、**広報が行政の活動を市民に知ってもらう、市民と行政の重要な接点**であることを職員が認識していない。施策や事業の実施に付随するものにすぎないとして、広報を軽視している職員も多い。

---

(1) 一般的な情報を提供し、それをユーザーに能動的に見てもらう広報手法です。

3 住民への情報発信方策

　私は、次のとおり情報発信を積極的に推進していく。

　第1に、子育て世代という**情報発信のターゲットを明確にした広報を実施**する。子育て情報を必要とするのは、子育てを行っている親たちである。このため、保育所や学校などに通う子どもに重点的にチラシ等を配布することで、保護者に必要な情報が伝わるようしていく。また、日祝日に家族連れが多く訪れるショッピングモールや子ども服等を扱う大型店、小児科病院に協力を依頼し、チラシ等を配架する。こうした施設にあるデジタルサイネージ[2]の活用も調整・実施する。このように、子育て世代に直接情報が届くように取組を進めていく。

　第2に、職員に指示しながら、SNSの活用等、**情報を双方向にやり取りできる新たな情報媒体を活用**していく。特に、子育て支援課でツイッターのアカウントを取り、その周知を図り、子育て情報を発信しながら、コメントを寄せてもらう。また、**PUSH型**[3]**の情報**を流し、子育て世代が情報を基に様々なイベントに参加することができるようにしていく。他都市で導入済みのスマートフォンのアプリを活用し、条件に合った情報を提供する広報も検討・実施していく。

　第3に、**研修等を通じ、行政情報を住民に伝える重要性を係員に認識させる**。係会議で事例紹介を行い、情報発信の必要性を認識させる。また、情報発信手法、チラシの作成などに関する研修の受講を勧める。第1、第2の取組の成果を見える化し、情報発信の必要性を理解させ、職員に広報マインドを植え付けていく。こうした取組により、一人ひとりの職員が市の広報マンとして活躍できるようにしていく。

4　住民への適切な情報提供に向けて

　必要な情報を必要な住民に的確に届け、必要なサービス提供を受けられるようにしていくことは、自治体行政の重要な責務である。

　私は、住民が必要とする情報を的確に提供できるように取り組んでいく所存である。

---

(2)　電子的な表示機器を用い、情報発信するメディアのことです。訴求力の高い情報発信が可能です。
(3)　対象者に積極的に参加を呼び掛ける広報をいいます。スマホアプリによる通知などが該当します。

第 3 部

政策系論文

政策系論文への対応

　政策系論文は大きく①福祉、環境など、**個別具体的な政策領域に関する論文**、②地域の活性化、地方分権・行政改革への対応といった**自治体が抱える全般的なテーマに関する論文**、③市民と協働した自治体運営、地域コミュニティのあり方といった**住民との関係についての論文**に分けることができます。

　一方、昇任試験の受験者は、特定の政策分野に特化して経験を積んできた人、ジェネラリストとして様々な政策分野を歩んできた人など、様々です。このため、①**個別具体的な政策領域に関する論文**でも、当該分野の知識が詳細に、深く問われることはまずありません。

　むしろ、課題を鳥瞰的にとらえ、論じていくことが重要です。

政策系論文のための情報収集

▶過去問の傾向把握

　政策系論文は、過去問を分析すると、一定の傾向が把握できます。

　大まかなものとして、①**時事テーマが多い場合**、②**自治体の重要政策テーマが多い場合**、③**一般的なテーマが多い場合**などに分けられます。

　こうした自治体ごとの傾向を把握して参考資料等に当たるのがよいでしょう。

　①時事テーマとしては、SDGs、デジタル化、新型コロナウイルス感染症などがあります。本書では、特定のテーマの中で部分的に取り上げています。①時事テーマが多い場合には深堀りしておきましょう。

　このように自分の自治体の出題傾向を把握し、それに応じて深く学習しましょう。

▶参考資料等

　政策系論文では、知識が詳細に問われることはないため、情報収集は地方自治全般の雑誌などで最新動向を把握するとよいでしょう。

また、①時事テーマが多い場合には、公職研刊の『重点ポイント昇任試験時事問題』など、昇任試験向けの時事ネタを整理したものを一読しておくと、全体の動向が把握できます。②自治体の重要政策が多い場合には、施政方針等の内容を把握し、その重要なものに関する情報を集めることで対応できます。

政策系論文の作成のポイント

　政策系論文作成のポイントとしては、次のようなものがあります。

▶導入部
◎**大まかな政策動向への言及**
　新聞等でも取り上げられているような政策に係る動向を把握しておく必要があります。高齢者や子育て関係であれば、介護保険、医療費の問題や待機児童など、環境問題であれば、地球温暖化対策に係るパリ協定などの国際動向やプラスチックごみの問題などです。
　こうした大まかな政策動向を導入部で取り上げることによって、政策の全体的な把握がなされていると評価されます。

▶課題・解決策
◎**地域との関係への言及**
　自治体職員として①**個別具体的な政策領域に関する課題**を論じる場合でも、③**住民との関係に係る課題**を取り上げることが重要です。例えば、次のようなものが想定されます。
①**高齢者・子ども・地域福祉**：**地域コミュニティが希薄化**する中での**地域での支え合い**、**自助**、**互助**、**共助**、**公助**の役割分担など
②**環境問題**：**地域の人々と連携**したごみ減量の取組、地域の美化の取組など
③**危機管理**：**地域主体**の要援護者への避難誘導、避難訓練の実施・避難所の運営など

1．高齢者・地域福祉

　高齢者人口は増加を続けており、2021年9月15日現在、3640万人で、総人口1億2522万人に占める割合は29.1％となっています。**人口の高齢化は介護費用や医療費の増加**につながります。

　また、日本の総人口は、2008年10月の1億2808万人をピークに減少してきています。こうした人口の減少は、高齢化の進行と相まって、**地域の活力低下**につながる懸念もあります

　こうした中で、自治体の対応について取り上げられるのが高齢化対応や地域福祉の充実です。特に、自治体における福祉問題については、**地域コミュニティにおける取組を充実**させていく、**地域主体の取組を活性化**させていくことが重要となります。

> 設問例　高齢化の進行に伴う課題と対応について論じなさい。

課題
① 健康寿命は延びず、**平均寿命の延伸が顕著**であり、**介護費用が増加**しており、結果として、**財政を圧迫してきている**。
② **単身高齢者世帯等は増加し、孤立**しているケースもある。だが、**高齢者を地域で見守っていこうとする意識に欠けている**。
③ 高齢者の就労の場所がなく、退職後に生きがいを持てない**元気な高齢者が増加**している。就職しても定着できない場合も多い。

解決策
① **健康づくりのための体操や健康維持のためのウォーキング**など、地域単位での高齢者の健康維持のための事業を充実する。
② 地域コミュニティ等を主体として、地域全体での高齢者の見守り体制の充実を図る。地域での顔の見える関係を構築する。
③ 高齢者と就労の機会のマッチングを進めるとともに、高齢者就労に関する研修を実施し、**定年後でも就労を継続できる環境を整備**する。

設問例　自治体の地域福祉施策の課題・重要な取組を論じなさい。

[課題]
① 地域福祉に係る取組が対象別に縦割となっている。取組の基礎となる地域単位での情報が整理されていない。
② 市の町内会・自治会加入率は低下しており、地域コミュニティの希薄化により相互扶助機能が弱体化している。
③ 定年後の意欲のある高齢者が、それまでに培った専門能力を生かし、地域で活躍できる場が少ない。

[解決策]
① 庁内で部局横断的に施策を推進する。また、関係機関との連携を強化する。中学校区など地域ごとのカルテを作成し、活用する。
② 地域での見守り活動を促すことなどを通じ、地域コミュニティの形成を支援しながら、住民の主体的な支え合いを育んでいく。
③ 高齢者には、定年前の経験を生かし、地域でボランティアに参加してもらうなど、活躍の場を拡大し、社会参加を促進する。

●キー・ポイント

　高齢者・地域福祉施策は、少子・高齢化の進行の中で自治体が直面する重要な政策課題の1つといえます。
　ここでは全般的な課題を取り上げましたが、就労に特化したり（①就労機会拡大、②マッチング、③高齢者の能力開発）、地域課題として災害時の高齢者対応などを取り上げることも可能です。
　また、国では地域包括ケアシステムが推進されており、論文でも言及しました。具体的には「重度な要介護状態となっても住み慣れた地域で自分らしい暮らしを人生の最後まで続けることができるよう、住まい・医療・介護・予防・生活支援が一体的に提供される仕組み」をいいます。
　その中では、住まいを中心に、①医療、②介護、③介護予防・生活支援が一体的に提供される仕組みが求められています。この3つを組み合わせることで、かなり専門的に論文を構成することも可能でしょう。

高齢化の進行に伴う課題と対応について論じなさい。

1 超高齢社会での地域包括ケアの重要性

我が国の高齢者人口は増加を続けており、2021年9月現在、3640万人で、総人口に占める割合は29.1％となった[1]。本市でも2021年4月の高齢化率は21％を超え、**超高齢社会**[2]となっている[3]。

高齢化の進行に伴い、**要支援・要介護者は急激に増加**しており、特別養護老人ホームなどの施設が不足している。さらに、**高齢化の進行に伴い、医療や介護に係る支出が増加**し、本市の財政を圧迫している。

こうした中で、住み慣れた地域で自分らしい暮らしを人生の最後まで続けることができるよう、**地域を基本とした地域包括ケアシステムを構築**していく必要がある。

2 高齢者が地域で暮らすうえでの課題

高齢者が地域で暮らしていくためには、次の課題がある。

第1に、健康寿命は延びず、**平均寿命の延伸が顕著**となっており、**介護費用が増加**している。結果として、扶助費が増加し、**財政全体を圧迫**してきている。特に、特別養護老人ホーム等への入所などを必要とする要介護度の高い寝たきりの高齢者の増加が顕著であり、施設が不足し、多くの待機者がいる状況を招いている。

第2に、**単身高齢者世帯や高齢者夫婦のみの世帯が増加**しており、地域社会の中で、**孤立**するケースが増えている。一方、地域社会の人々の関係性が希薄化してきており、**高齢者を地域で見守っていこうとする意識に欠け**ている。

第3に、**高齢者の就労の場所がなく、退職後に生きがいを持てない元気な高齢者が増加**している。平均寿命の延伸に伴い、65歳の退職後に時間を持て余している。しかしながら、需要と供給のミスマッチも存在し、定年退職後の就労に結び付けるのは容易ではない。さらに、いったん就職しても職場の理解がなく、職場になじめず、定着できない場合も多くなっている。

---

(1) 総務省「統計からみた我が国の高齢者」（2021年9月19日）を参照してください。
(2) 65歳以上人口が全人口に占める割合が7％を超えると高齢化社会、14％を超えると高齢社会、21％を超えると超高齢社会といわれます。
(3) 自分の自治体の高齢化率も調べておきましょう。

3 高齢者が地域で暮らし続けるための取組

私は、高齢者が地域で暮らしていくために、次の取組を進める。

第1に、介護予防施策として、**健康づくりのための体操や健康維持のためのウォーキングを促すなど、地域単位での健康維持のための施策を充実**させていく。健康づくりのための体操については、公園や町内会館・自治会館など、地域の公共施設等を活用する。そして、市の保健師が支援しながら、民生委員などが実施する地域主体の事業として推進していく。また、ウォーキングについては、万歩計等を活用しながら、その歩数に応じてポイントを付与するなど、インセンティブを与え、長く継続できるような仕組みを構築していく。

第2に、**地域コミュニティ等を主体**として、地域全体での高齢者の見守り体制の充実を図る。具体的には、**地域主体の昼食会などの開催を支援**しながら、**地域で顔の見える関係を構築**していく。こうした顔の見える関係を踏まえながら、**地域での声掛け**なども促していく。さらには、新聞配達員、郵便配達員、コンビニエンス・ストアの店員などの協力を得て、徘徊老人をはじめ、**高齢者の見守り**等を行っていく。

第3に、元気高齢者の活躍の場の創出に向け、**シルバー人材センター**に加え、**ハローワークとの連携**により相談会を開催し、能力や意欲のある**高齢者と就労の機会のマッチング**を進める。地域の企業に高齢者の就労を働きかけるとともに、積極的に取り組む企業の**表彰制度の構築**にも取り組んでいく。さらに、**高齢者が定着し、雇用が継続されていくよう、高齢者就労のポイントなどに関する研修**を開催する。こうした取組により、**定年後でも就労を継続できる環境を整備**する。

4 住み慣れた地域で暮らし続けられる社会に向けて

高齢者であっても、**住み慣れた地域で暮らし続けられる**よう、地域を基本とした**地域包括ケアシステムを構築**していく必要がある。

私は、こうしたケアシステムの構築に積極的に取り組み、超高齢社会に対応した地域社会の実現に取り組む所存である。

自治体の地域福祉施策の課題・重要な取組を論じなさい。

1　求められる地域を主体とした福祉政策

　我が国の少子高齢化は急速に進行しており、世界有数の長寿国として、他国に例を見ないほど、高齢化が進んでいる。また、合計特殊出生率は、現在の**人口の維持に必要な2.07を大きく下回っている**。

　こうした状況は本市も同様で、**少子化・高齢化への対応**を図ってきた結果、本市の扶助費は拡大の一途をたどっている。一方、定年退職後も**元気な高齢者**が増加している。また、核家族化の進行の中で、周囲に親類がおらず、**単独で子育てを行う世帯**も増えている。

　こうした中、**地域を主体**に高齢者、子どもなど**様々な世代がいきいきと暮らし続けられる豊かな地域共生社会**(1)を構築する必要がある。

2　地域共生社会の実現に向けた課題

　地域共生社会の実現に向けては、次の課題がある。

　第1に、**地域福祉に係る取組が対象別に縦割**となっている。福祉に係る法律は高齢者、障がい者、子ども、生活困窮者など対象別に整備されてきた。こうした法体系に対応し、本市の組織・予算も縦割で、総合的なものとなっていない。また、**総合的な取組の基礎となる地域単位での情報**も整理されていない。

　第2に、**地域コミュニティの希薄化**により**相互扶助機能が弱体化**している。市の町内会・自治会加入率(2)は低下し、民生委員のなり手も不足している。このため、地域活動の活性化が課題となっている。

　第3に、**定年後の意欲のある高齢者が地域で活躍できる場が少ない**。定年延長により65歳まで働く方も増えている。しかし、健康寿命の延伸とともに、65歳の定年後も健康な方も多い(3)。こうした方は、定年を迎えると居場所に困るような場合もあり、それまでに培った専門能力を生かせる活躍の場を確保する必要がある。

（1）　厚生労働省が掲げる福祉サービスの方向性で、個人や世帯が抱える問題に包括的に対応する支援体制へ転換することを掲げています。
（2）　自治体の統計書などで加入率の状況を把握しておきましょう。
（3）　年金の支給開始年齢が65歳に引き上げられており、高年齢者雇用安定法の改正により企業には希望者に65歳まで雇用確保が義務付けられ、2021年4月から65歳から70歳までの就業機会の確保が努力義務となります。

3 地域共生社会の実現に向けた取組

私は、地域共生社会の実現に向け、次の取組を進める。

第1に、庁内で**部局横断的なプロジェクトを設置し、総合的に施策を推進**する。この中では、福祉部局に限らず、地域安全等の所管部署も含め、地域課題を共有し、課題に対応した取組を地域の視点から総合的に進める。さらに、地域でも、地域包括支援センター、社会福祉協議会、民生委員など**関係機関との連携を強化**する。その際、中学校区など**一定の地域に着目して地域の課題や活用できる資源を整理**しながら、取組を進める。具体的には、高齢化率、人口等の統計情報、福祉施設等の地域資源、地域人材などを示した**地域ごとのカルテを作成**する。これを民生委員や市の保健師等が共有し、課題解決に向け、重点的な訪問、健康づくりの体操の強化、配食の実施などにつなげる。

第2に、互助、共助の充実を目指し、**地域での見守り活動を促していく**。こうした取組を通じ、**地域コミュニティの形成を支援**しながら、**住民の主体的な支え合い**を育んでいく。また、子育て世代が地域で孤立しないよう、地域の公民館等を活用し、保健師を中心に、地域の方々と連携して**子育て世代が集まるサロン**などを開催し、**相談等にも応じていく**。あわせて、社会福祉法人やNPOに委託し、**地域住民の相談を包括的に受け止める場所の整備**等を進めていく。

第3に、**元気な高齢者**には、**活躍の場を拡大し、社会参加を促進**する。具体的には、**地域でボランティアに参加**してもらったり、**NPOで定年前の経験を生かして働いて**もらう。特に、退職前から、地域デビューのための準備講座を開催し、徐々に地域になじみ、具体的な活動につながる取組を進める。こうした取組により高齢者が生きがいを感じながら、社会参加できる環境を整備し、市として地域の活性化にもつなげていく。

4 暮らし続けられる地域共生社会へ

少子・高齢化の進行の中で、高齢者、子どもなど**様々な世代がいきいきと暮らし続けられる地域共生社会を構築**していく必要がある。

私は、こうした地域共生社会の構築に向けて取り組んでいく所存である。

2. 子育て支援・子どもの貧困対策

　日本の合計特殊出生率は、低下傾向にあり、2020年は前年から0.02ポイント低下し、1.34となるなど、**現在の人口を維持するのに必要な2.07には及んでいません**。少子・高齢化の進行の中で、安心して子育てできる環境を整備し、人口減少に歯止めをかけていくことが求められています。

　子どもの**相対的貧困率は上昇傾向**にありましたが、2015年には減少し、2018年には13.5％となりました。こうした中でも、**ひとり親世帯の子どもの相対的貧困率は48.1％と高く**なっています。また、経済的理由により就学が困難と認められ、就学援助を受ける小中学生の**就学援助率も高止まりの傾向**が続いています。このため、貧困の状況にある子どもが健やかに成長できる環境を整備することなどが必要となっています。

設問例　子育てしやすいまちづくりの課題と取組を論じなさい。

[課　題]
① 認可保育所、認可外保育所ともに不足し、**待機児童数は解消に至っておらず、働きながら子育てする環境が十分でない**。
② 核家族化の進行の中で、周囲に頼れる親族がおらず、両親と子どもだけの世帯で、**一人で育児不安を抱える母親が増加**している。
③ **男性の育児休業取得率が低いなど、父親が育児参加できる環境が整っていない**。

[解決策]
① 保育環境の確保に向けた**保育所整備**のため、株式会社など**多様な主体の参入**を促していく。認可外保育施設も充実させていく。
② 育児不安の解消のために、**出産前の母親等を対象とした講座やサロンを実施**する。**多世代同居や近居を促進**する。
③ 育児休業の取得など、**ワーク・ライフ・バランスの確保を企業等に働きかける**。また、こうした**企業の表彰制度を導入**する。

設問例　子どもの貧困対策の課題と取組について論じなさい。

課題

① 福祉事務所、児童相談所、学校など**多くの部局がかかわっているが、子どもの貧困の情報を共有できず、対応が後手**になっている。

② **市のみで子どもの貧困対策に取り組むには限界**があり、食事や学習の支援まで手が回っていない。連携して対策を進める必要がある。

③ **貧困の連鎖を断ち切る**ため、**親の経済的な安定、子どもの生育環境**の確保とともに、**子どもの学習環境を整備**する必要がある。

解決策

① **関係機関の横断的な組織を立ち上げ、子どもの貧困の情報を共有**し迅速に対応する。支援策も共有し、最適な支援を実施する。

② 子ども食堂、子どもの学習支援を行う**地域の団体との連携**を進めながら、**地域で支える仕組みづくり**に取り組んでいく。

③ **親の就労支援**をはじめ、よりよい**子どもの生活環境の確保**に取り組む。生活環境を安定させたうえで、**子どもの進学を支援**する。

●キー・ポイント

　子育て環境の整備は、**合計特殊出生率の上昇、人口減少への歯止め**という視点とともに、**女性の活躍**の視点からも進められています。女性の労働力率は、結婚・出産期に一旦低下し、育児が落ち着いた時期に再び上昇するM字カーブを描きます。近年、この谷の部分が浅くなり、台形に近づいています。

　また、子どもの貧困は置かれた家庭環境に大きく左右され、虐待等につながるケースも多くなっています。虐待も、対象となる家庭が引っ越した場合の児童相談所間の引継ぎの課題が指摘されるなどしています。

　虐待についても①**機関の連携**、②**地域の団体等の連携**、③**親の経済的な安定の確保**といった視点で論じることができるでしょう。

子育てしやすいまちづくりの課題と取組を論じなさい。

1 求められる人口減少社会への対応

2020年の我が国の合計特殊出生率は1.34[1]であり、現在の人口維持に必要な2.07に及んでおらず、本市は1.3とさらに低くなっている[2]。

こうした中、国では、**高齢者中心の社会保障を全世代型へと転換する改革**[3]が進められている。特に、少子化対策である**子ども・子育て支援は社会保障制度の持続可能性を高めるうえで重要**となっている。

本市でも、**少子・高齢化の進行**の中で、**安心して子育てできる環境を整備**し、**人口減少に歯止め**をかけ、**持続可能な社会を構築**する必要がある。

2 子育てしやすいまちづくりに向けた課題

子育てしやすいまちの実現に向けた課題は、次のとおりである。

第1に、**働きながら子育てする環境が十分でない**。働く女性が増加する中で、育児休業等を取得し、復職後は保育所に子どもを預けて仕事を継続できる環境づくりが求められる。しかしながら、保育所の供給と、子どもを預けたい世帯の需給はバランスがとれておらず、2021年4月の**待機児童数は新型コロナウイルスの影響により減少したものの、解消には至っていない**。認可保育所、本市が独自に進めている認可外保育所ともに不足している。

第2に、**核家族化の進行の中で、一人で育児不安を抱える母親が増加**している。本市では、転入者の割合が高く、周囲に頼れる親族がおらず、両親と子どもだけの世帯が多い。また、本市の住宅は、マンション等の共同住宅の割合が高く、自治会・町内会の未加入世帯も多い。結果として、地域から孤立している世帯もみられる。このため、母親が一人で育児不安を抱え込んでしまっている。

第3に、**父親が育児参加できる環境が整っていない**。2020年の男性の**育児休業取得率は改善したものの、女性と比較すると低い状況にある**[4]。父

（1） 厚生労働省「令和2年(2020)人口動態統計月報年計(概数)」を参照してください。
（2） 自分の自治体の数値を把握しておきましょう。
（3） 「社会保障と税の一体改革」として進められてきましたが、全世代型社会保障構築会議を新たに設置し、検討を進めることになっています。
（4） 厚生労働省の「令和2年度雇用均等基本調査」によれば、2020年度の育児休業取得者の割合は男性12.65%（前年度7.48%）、女性81.6%（同83.0%）となっています。

親が育児を分担しないため、母親が働きながら子育てをする課題も多い。

3 子育てしやすい環境の確保方策

私は、次のような子育て環境の確保策に取り組む。

第1に、**保育環境の確保**に向けた**保育所整備**のために、株式会社、NPO法人など**多様な主体の参入を促し**、民間主体の取組を進めていく。あわせて、鉄道事業者や大規模な開発を行うディベロッパーに一定の協力や負担をしてもらいながら、保育所の建設用地の確保等に取り組んでいく。こうした認可保育所の整備に加え、**本市独自の認定保育所**[5]**などの認可外保育施設、保育ママ**[6]**等も充実**させていく。

第2に、**育児不安の解消**のために、**民生委員等の地域の方々の協力を得ながら、出産前の母親等を対象とした講座やサロンを実施**する。その場を通じてママ友の輪の拡大につなげ、互いに子育ての悩みなどを共有できるようにし、不安の解消等につなげる。このように地域社会で子育てする母親、子どもを支える仕組みを構築していく。また、両親等との**多世代同居や近居を促進**するため、一定の条件を満たした**住宅の取得に対する補助制度の導入**を検討・実施していく。

第3に、**ワーク・ライフ・バランス確保**の必要性を**企業等に働きかける**。商工会議所と連携して、会員向けに**講演会等を実施**する。また、会頭や企業の社長にも**イクボス宣言**をしてもらう。さらに、積極的にワーク・ライフ・バランス確保に取り組む**企業の表彰制度を導入**する。そして、市の**公共調達**でも企業のワーク・ライフ・バランス確保に向けた**取組が評価**されるようにしていく。

4 子育てしやすい地域社会の実現に向けて

少子高齢化社会では、子育てしやすい環境を確保し、**人口の維持**や**女性の就労継続**によって、**経済活力を維持・向上**していく必要がある。

私は、**活力ある持続可能な地域社会の実現**に向け、子育てしやすいまちづくりに積極的に取り組んでいく所存である。

---

(5) 自治体の独自の施策も確認しておきましょう。
(6) 国の認可を受け、家庭的保育事業として行われる場合や、自治体が独自に家庭福祉員制度として運用する場合があります。

子どもの貧困対策の課題と取組について論じなさい。

1　格差社会における子どもの貧困問題

子どもの貧困の問題には、**親世代の経済格差が影響**している。勉強ができる環境にない、教育費が相対的に低いなど、親世代の経済状況が厳しい場合、進学等が困難となり、**貧困の連鎖**[1]を生み出しやすい。

また、貧困家庭では十分な食事がとれず、児童虐待や非行等の問題につながる場合も多い。このように、教育環境よりも、むしろ**子どもの生活環境をいかに整備**していくかという課題も大きい。

こうした中で、親から子どもへの**貧困の連鎖を断ち切り**、貧困家庭に生まれた子どもであっても、適切に教育を受けながら、豊かに成長し、社会の一員として活躍できる地域社会を構築する必要がある。

2　子どもの貧困対策の課題

子どもの貧困対策には、次のような課題がある。

第1に、**関係機関の情報共有が十分でない**。子どもの貧困対策には、福祉事務所、児童相談所、学校など**多くの部局がかかわっている**。学校では子どもの状況を、福祉事務所では生活保護の受給状況などを把握している。しかしながら、こうした**子どもの貧困に関わる情報を共有できておらず、対応が後手**になってしまう場合もみられる。

第2に、**本市のみで子どもの貧困対策に取り組むには限界**がある。本市では学校給食費等の支援を行っている。だが、子どもの家庭での食事の確保や、学校以外での学習の支援にまで手が回っておらず、本市のみの対応では限界がある。このため、地域で子どもの貧困対策に取り組む方々と連携しながら、対策を進めていく必要がある。

第3に、**貧困の連鎖を断ち切るため**、**親の経済的な安定や子どもの生育環境の確保とともに、子どもの学習環境を整備**する必要がある。子どもの生育環境はその後の成長に大きな影響を与えるものであり、親の自立等を支援していかなくてはならない。あわせて、子どもの能力に応じて、大学等へ進学できる環境を整備する必要がある。

（1）こうした状況から生活困窮者支援法が制定されています。

3 子どもの貧困の解決に向けた取組

私は、次のとおり子どもの貧困対策に取り組んでいく。

第1に、**関係機関の横断的な組織を立ち上げ、定期的な会議**[2]を開催する。そして、関係機関の連携を強化し、**子どもの貧困に関わる情報を共有**していく。こうした取組により、特定のケースの兆候などを早期に共有し、児童相談所における保護も含め、状況に応じた迅速な対応を行っていく。また、就学援助[3]をはじめとする支援策についても、関係機関相互で情報を共有し、子どもや家庭の状況に応じた最適な支援策を検討し、実施していく。

第2に、**地域の団体との連携**を進めながら**地域で支える仕組みづくり**に取り組んでいく。既存の子ども食堂、子どもの学習支援に係る団体と連携をしていく。そして、補助等を実施しながら、新たな団体に声を掛け、活動を広げていく。また、貧困家庭の子どもは、生活習慣の乱れや劣悪な生育環境などの課題を有している場合もあり、地域の団体と連携し、子ども食堂や学習支援を通じて、その改善につなげる。

第3に、**親の就労支援**をはじめ、よりよい**子どもの生活環境の確保**に取り組む。親の経済的な安定性の確保のため、就労に関するアドバイス等を行う自立相談支援を実施する。直ちに就労が厳しい場合にはコミュニケーション能力の習得など、就労準備支援を実施する。また、疾病など親の状況によっては、一時的な生活保護受給などにより親の経済環境、そして子どもの生活環境を安定させる。そのうえで、就学援助、奨学金等の制度を活用しながら、**子どもの高校、大学等への進学を支援**していく。

4 貧困の連鎖の解消に向けて

貧困の家庭では、**親の経済的不安定性**に起因する**生活環境の劣悪さ、学習機会の欠如**等により、貧困の連鎖が続いていく場合も多い。

私は、**親の経済的安定の確保、子ども学習環境等の改善**を進め、貧困の連鎖が断ち切れるように取り組んでいく所存である。

---

(2) 児童福祉法に基づき、要保護児童対策地域協議会の設置の努力義務があります。こうした協議会の場を活用し、貧困対策に取り組むことも考えられます。
(3) 学校教育法19条で、経済的理由によって就学困難と認められる学齢児童等の保護者に、市町村は、必要な援助を与えなければならないとされ、要保護者とそれに準ずる困窮者（準要保護者）に、就学援助が行われています。

3. 環境問題への対応

　高度経済成長期に、地域では工場から排出される汚染物質による公害問題が顕在化し、この対応のために公害関係の法令が整備され、環境は大きく改善してきました。

　現在は、**温室効果ガスの排出**に伴う**地球温暖化**の問題、**大量生産・大量消費・大量廃棄**に起因する**廃棄物の問題**などへの対応が自治体として取り組む大きな課題となってきています。また、地球温暖化に伴う**気候変動による猛暑日の増加、短時間豪雨（ゲリラ豪雨）**などが顕在化しています。

　このため、住民一人ひとりが環境問題への原因者であることを自覚し、対応を進めていくための普及啓発等の実施が必要です。

> 設問例　環境負荷の少ないまちづくりに向けた課題と取組を論じなさい。

[課題]
① 　温室効果ガス排出量の削減が適切に進んでおらず、**地球温暖化が進行し、短時間豪雨等が発生**している。
② 　廃棄物の発生・排出量の抑制やリサイクルの取組が十分に進んでいない。**食品廃棄物（食品ロス）**の対応が課題となっている。
③ 　住民や企業、特に**中小企業の環境問題への意識**が十分でない。必要性は認識しているものの、実際の活動につながっていない。

[解決策]
① 　**市民や事業者に普及啓発等**を行う。太陽光や蓄電池の導入など、**創エネ・省エネ・蓄エネ**に取り組む。
② 　プラスチックごみによる海洋汚染問題やプラごみ禁輸問題を契機として、廃棄物の抑制や分別の徹底に向けた**普及啓発等を実施**する。
③ 　環境教育・環境学習に重点的に取り組む。学校と連携した**子どもの環境教育、企業の工場見学や表彰制度の導入**などに取り組む。

設問例　気候変動対策の課題と取組について論じなさい。

課題

① 平均気温が上昇し、夏場の**猛暑日等が急激に増加**してきており、**熱中症にかかる住民、特に高齢者**が増加してきている。

② 台風の時期などに限らず、**短時間豪雨により冠水**するケースが増加してきている。高齢者などが避難に遅れるケースも発生している。

③ **蚊媒介感染症の発生や熱帯性の外来生物の侵入の懸念**が高まっており、市内でも、発見されるようになってきている。

解決策

① 住民に気候変動への関心を喚起し、**熱中症への対策の必要性を啓発**する。**熱中症注意報**を発し、**適切な冷房の使用等**を喚起する。

② 気候変動による**短時間豪雨等に対応した河川改修などハード面での整備**を進める。**マニュアルを整備**し、**避難訓練を実施**する。

③ **蚊のモニタリングを定期的に行い**、発生しないよう地域での対応を促す。国等とも連携し、**外来生物の侵入を水際で食い止める**。

●キー・ポイント

　温室効果ガスの削減については、2016年に**パリ協定が発効**されました。こうした点を導入部で触れてもよいでしょう。

　気候変動への対応は「**適応策**」といわれます。一定の気温上昇は不可避であり、それをどこまでに抑えるかが国際的な議論となっています。こうした中長期的な気温上昇にどう対応するかが課題です。

　また、環境問題は、都道府県と市町村で取組内容に違いがあります。都道府県は、エネルギーや温暖化対策にも取り組んでいますが、市町村は廃棄物に係る取組が中心となります。

　一度、自分の自治体の**環境基本計画**などを見るとよいでしょう。

環境負荷の少ないまちづくりに向けた課題と取組を論じなさい。

1　環境負荷低減に向けた取組の必要性

高度経済成長期には、工場から排出される大気汚染物質等が公害を発生させ、住民の健康をおびやかす状況をもたらした。こうした公害問題については、事業者に対して、本市の条例、そして法律に基づき、排出規制等を行うことで、大きく改善してきた。

近年は、**地球温暖化の進行**、**廃棄物の課題**など、住民も含め、**多様な主体が原因者**となる環境問題が顕在化するようになってきた。

こうした中で、本市では、**事業者、住民と連携**し、環境負荷の少ないまちづくりに向けた取組を進めていく必要がある。

2　環境負荷の少ないまちづくりの課題

環境負荷の低減には、次のような課題がある。

第1に、パリ協定に基づき平均気温の上昇を2度、可能なかぎり1.5度に抑制する必要がある中でも、**温室効果ガス排出量の削減**が適切に進んでいない。このため、**地球温暖化が進行**しており、**短時間豪雨**、生命の危険を伴うような**猛暑が発生**している。

第2に、**廃棄物の発生・排出量の抑制やリサイクルの取組**が十分に進んでいない。これまでもリデュース、リユース、リサイクルという3Rに取り組んできた。結果として、廃棄物の発生・排出量の抑制、資源化が進んできた。しかしながら、**大量生産・大量消費**といった側面も依然として強く、未だにごみとして廃棄される量も多い。特に、食べ残しなどの**食品廃棄物（食品ロス）の対応が課題**となっている。

第3に、**住民**や企業、特に**中小企業**の**環境問題への意識**が十分でない。住民意識調査などでも、環境問題に対応していく必要性を認識している住民は多い。ただし、その意識が実際の行動にはつながっていない。事業者も大企業ではESG投資[1]の動きもあり、環境の取組が行われてきている。だが、中小企業については十分とはいえない。

（1）　Environment, Social, Governanceの略です。石炭火力発電所のように環境負荷の高いものでなく、環境にやさしいプロジェクト等に投資するものです。自治体でも環境負荷の低減に資するものに対してグリーンボンドとして地方債を発行するケースがみられます。

3　環境負荷の少ないまちづくりの取組

　私は、環境負荷の低減に向け、次の取組を進める。

　第1に、国のCOOL CHOICEの取組とも連携し、**市民や事業者に普及啓発等**を行う。特に、地球温暖化対策のための省エネルギーの取組がエネルギーの使用量の削減、つまりコスト削減につながることを認識してもらい、**温室効果ガス排出量の削減に向けた取組**を促す。また、事業者については、その従業員の環境意識の向上に取り組んでもらう。このことにより、家庭にも対策が広がるようにしていく。さらに、中小企業や家庭を対象として、災害時にも使える太陽光発電や蓄電池[2]、省エネルギーに寄与する機器への補助制度を通じて、**創エネ・省エネ・蓄エネ**[3]の取組をセットで推進する。

　第2に、**プラスチックごみによる海洋汚染問題やプラごみ禁輸問題を契機として**[4]、廃棄物の抑制や分別の徹底に向けた**普及啓発等を実施**する。具体的には、プラスチックの削減に取り組む外食産業等と連携し、適正排出キャンペーンを実施し、意識を喚起していく。**食品ロス**[5]については、飲食店等に**食べきり協力店**の登録を働きかける。そして、宴会等での**食べきり、使いきりを意識した食品購入**などの取組を普及させていく。こうした**普及啓発等により、廃棄物の発生量の削減**に取り組んでいく。

　第3に、**環境教育・環境学習に重点的に取り組む**。父親・母親の環境配慮行動を喚起するには、子どもが環境学習を通じ、積極的にごみの削減に取り組むことが重要となる。このため、学校と連携して、将来を担う**子どもの環境教育**を実施していく。あわせて、環境教育に取り組む**企業の工場見学**や中小企業の**表彰制度の導入**などを進めていく。

4　市民と連携し、環境負荷の少ないまちへ

　環境負荷の少ないまちづくりに向けては、本市のみが取組を行うのではなく、**市民、事業者との協働による取組**が不可欠である。

　私は、協働した取組を進め、環境負荷の少ないまちの実現に取り組む所存である。

（2）　太陽光と蓄電池は災害時にも使える分散型の電源として注目されています。
（3）　自治体の計画でも使われる言葉で、使用するとよいでしょう。
（4）　2022年4月から「プラスチックに係る資源循環の促進等に関する法律」が施行され、容器包装以外のプラスチックの回収・リサイクルのしくみが構築されます。
（5）　2019年5月に「食品ロスの削減の推進に関する法律」が成立し、公布されています。この内容にふれてもよいでしょう。

気候変動対策の課題と取組について論じなさい。

1　気候変動対策の必要性

　産業革命以降の人為的な温室効果ガスの排出により、地球の平均気温は上昇を続けている。現在、パリ協定に基づき、その平均気温の上昇を2度、可能なかぎり1.5度に抑える取組が進められている。

　一方、現在の温室効果ガスの排出状況を踏まえれば、一定の気温上昇は不可避となっている。

　こうした中、**一定の気温上昇を前提**に、暑さ対策をはじめ、**住民の生活の安全・安心を確保**するための気候変動対策を進めていく必要がある。

2　地域の気候変動対策の課題

　地域での気候変動対策には、次のような課題がある。

　第1に、温暖化の進行に伴い本市の**平均気温**が**上昇**し、夏場の猛暑日や**熱帯夜が急激に増加**している。この結果、**熱中症にかかる住民、特に高齢者が急増**している。熱中症は、生命の危機にまで及ぶ、危険な症状である。だが、高齢者を中心に熱中症対策の必要性を認識していない。学校でも体育の授業などで熱中症を引き起こす児童・生徒が増加している[1]。

　第2に、台風の時期などに限らず、**短時間豪雨により冠水**するケースが増加している。本市でも、河川改修などに取り組んでいる。だが、その想定降雨量を上回る台風や短時間豪雨も発生するようになっている。特に、短時間豪雨は予想が難しく、急激に水位が上昇することから、高齢者を中心に避難が遅れるようなケースも発生している。

　第3に、**蚊媒介感染症の発生**や**熱帯性の外来生物の侵入の懸念**が高まっている。蚊媒介感染症については2014年に本市でもデング熱の感染が確認された。一方、本市の港でも熱帯地域からの荷物にアカカミアリをはじめ熱帯性の外来生物が発見されるようになっている。

3　総合的な気候変動対策

　庁内横断的な体制で、次の取組を進める。

（1）　文部科学省が実施した全国の公立小・中学校の冷房設備設置状況調査によると、2020年9月1日現在、公立小・中学校の普通教室38万2666室のうち、冷房設備を設置している教室は35万4998室で、設置率は92.8％となっています。ただし、特別教室は55.5％、体育館は5.3％となっています。

第1に、**住民に気候変動への関心を喚起し、熱中症への対策の必要性を啓発**する。その中で、熱中症の危険度が増す日については**環境省の暑さ指数**(2)等を活用しながら、防災無線等を活用し、本市としても、**熱中症注意情報を発し、適切な冷房の使用等を喚起**する。あわせて、市の公共施設を涼しさをシェアする(3)**クールシェアスポット**として指定し、気温の高い昼間は、そこで過ごしてもらう。また、地域での見守りを通じて、高齢者に適切な冷房使用を呼びかけ、熱中症対策にも取り組んでいく。**小中学校の教室・体育館等への冷房設置を早急に進める**とともに、**猛暑日などには屋外活動を控える**ようにする。

　第2に、気候変動による**短時間豪雨等に対応した河川改修を実施する**など、中長期的な視点から**ハード面での整備**を進める。地域のハザードマップを配布し、**居住地域のリスクを住民に認識させ**、対策に活用してもらう。予想が難しい**短時間豪雨を対象に、避難等の対応マニュアルを整備し、避難訓練を実施**し(4)、住民の安全を守る対策を進める。

　第3に、**蚊のモニタリングを定期的に行う**とともに、たまり水の防止など、蚊の発生予防対策を実施する。ジカウイルスが胎児に影響を与えるとの報告もあるため、妊娠時期など、蚊媒介感染症が大きな影響をもたらす住民への注意喚起を徹底する。さらに、**外来生物の侵入を水際で食い止める**よう、国とも連携し取組等を進める。また、住民に被害が及ばないよう、外来生物の危険性を啓発していく。

4　気候変動に対応し、安全・安心の確保へ

　地球温暖化の進行に伴い、本市としては、一定の気温の上昇を前提として、事務・事業を**気候変動に適応**させていく必要がある。

　私は、気候変動に適応した取組を進め、住民の日々の生活における安全・安心の確保に取り組んでいく所存である。

（2）　人体と外気との熱のやりとり（熱収支）に着目した指標で、人体の熱収支に与える影響の大きい①湿度、②日射・輻射など周辺の熱環境、③気温の3つを取り入れた指標です。
（3）　クールシェアは、それぞれがエアコンを使うのをやめ、涼しい場所をみんなでシェアする取組です。
（4）　長が出す避難情報等は、令和元年台風19号等を踏まえ、2021年5月から高齢者等避難、避難指示、緊急安全確保と変更になりました。

4. 労働・雇用の確保

　男性も女性も、意欲に応じて、あらゆる分野で活躍できる**男女共同参画社会の実現**に向けた取組が進められています。出産後の退職等によって女性の就業率が低下する**M字カーブ**は、保育所の増加など子育て環境の整備により**改善され、台形に近くなってきています**。だが、依然として、十分とはいえない状況です。また、女性活躍推進法により、大企業には、行動計画の策定が義務付けられています。
　女性以外にも、若年者、障がい者などが、雇用の面で不利な条件に直面する場合もあります。
　こうした方たちも含め、様々な人々がその**個性と能力を発揮して活躍できる社会の構築**に向けた取組が必要となっています。

設問例　女性が活躍できる社会に向けた課題と取組について論じなさい。

課題
① 女性の視点が企業経営等で重要となりつつあるにも拘わらず、**企業や団体等で女性の活躍が重要という意識が醸成されていない。**
② **長時間勤務を是とする風土が残っており**、時間外勤務が多くの企業で行われており、**女性が活躍しづらい状況となっている。**
③ 市の審議会委員や管理職に占める女性の比率が低く、**政策・施策の立案等への女性の意見の反映は不十分となっている。**

解決策
① **女性の視点を重視した企業経営の重要性を啓発**する。公共調達で当該企業を優遇し、女性活躍に向けた環境づくりを誘導していく。
② **時間当たり生産性で評価するような社会の構築**に取り組む。企業に**育児休業等の取得を働きかける。**
③ 審議会における**女性の委員比率の向上、女性の管理職登用**を進める。**女性の視点を生かした行政運営**を行っていく。

設問例　誰もが働きやすい環境整備の課題と取組について論じなさい。

課　題

① 新型コロナウイルス感染症の影響により、2021年の正規職員の増加に対し、非正規は減少しているが、**依然として非正規雇用率が高く**なっている。

② **法定雇用率が引き上げられ、障がい者の雇用の場は広がりつつある**ものの、依然として**福祉的な就労**にとどまっている場合も多い。

③ M字カーブは改善しつつあるものの、**出産・育児のために退職した女性**は専門性を生かして再就職することは容易ではない。

解決策

① **非正規雇用者の雇用環境を改善**していく。ジョブカードなどを活用した職業経験、マッチングの実施等により正規雇用につなげる。

② 障がい者雇用に関する研修等を通じ、企業側の理解の深化につなげるなど、**障がい者の雇用環境の改善**に取り組む。

③ 再就職に際しての**研修実施**、**マッチング**とともに、**公共調達での優遇**など、**女性の就業継続や再就職しやすい環境づくり**に取り組む。

●キー・ポイント

　近年、労働・雇用関係の法律が多く整備されてきています。働き方改革関連法に加え、若年者、障がい者、女性など、関連法律の概要を把握しておくと、論文の作成に活用できます。

　新型コロナウイルス感染症の状況により、雇用は大きな影響を受けています。直近の状況を把握するようにしましょう。こうした中、総務省の労働力調査（基本集計）2021年（令和3年）平均結果の概要によれば、2021年の非正規の職員・従業員の割合は前年より0.4ポイント減少し36.7％となっていますが、その割合は依然として高くなっています。このため、非正規雇用も取り上げてみました。

　職業紹介はハローワークが基本なので、労働・雇用分野での自治体の役割は、障がい者の雇用でも、福祉的就労を除けば、**企業とのマッチング**、**研修実施**などが中心となります。この点を踏まえて論文を作成するとよいでしょう。

女性が活躍できる社会に向けた課題と取組について論じなさい。

1 求められる女性活躍社会

　男性も女性も、意欲に応じて、あらゆる分野で活躍できる**男女共同参画社会の実現**に向けた取組が進められている。この中では、男女が自らの意思に基づき、**個性と能力を十分に発揮できる、活力ある持続可能な社会を目指していく必要がある**。

　また、次代を担う**子どもたちが健やかに育っていける環境整備**が必要である。特に、働きながら子育てできる環境を整備し、出産前後に女性の就業率が低下するM字カーブを一層改善しなくてはならない。

　こうした中では、子育て環境を整備し、**女性が個性と能力に応じて働き続けられる社会の構築**に向けた取組を推進していく必要がある。

2 女性が社会で活躍していくうえでの課題

　女性が社会で活躍するうえでは次のような課題がある。

　第1に、**企業や団体等で女性の活躍が重要という意識が醸成されていない**。社外取締役として女性が増加するなど、女性の視点が企業経営においても重要となりつつある。こうした状況にも拘わらず、その認識を持っていない市内企業も依然として多い。結果として、男性の管理職比率などが高い状況となっている。

　第2に、市内の企業には、**長時間勤務を是とする風土が残っており、女性が活躍しづらくなっている**。働き方改革の中で減少傾向にあるものの、時間外勤務が多くの企業で依然として行われている。また、有給休暇の取得率は低く、育児休業の取得率も同様となっている。

　第3に、**政策・施策の立案等への女性の意見の反映は不十分**となっている。本市でも、男女平等推進条例に基づき、男女平等推進計画[1]が策定され、その中で審議会等の委員比率の目標が定められている。しかしながら、他都市と比較して、本市の審議会等の女性比率は低くなっており、管理職の女性比率も低い。結果として、**行政運営などに女性の視点が十分に生かされていない**。

3 女性が活躍できるための取組

　女性の活躍に向け、次の取組を進める。

第1に、**女性の視点を重視した企業経営の重要性を啓発**し、女性活躍に向けた環境づくりを誘導していく。市の各種広報誌で、女性が活躍している企業や働きやすい企業を紹介する。また、女性の視点を企業経営に生かした企業のうち、一定の要件を満たした企業に対し**市の認証制度を導入**する。この認証企業には市の総合評価一般競争入札等で一定の加点を認めるなど、**公共調達において具体的なインセンティブ**[2]となるような制度設計を行う。こうした取組により、企業における女性活躍に向けた環境整備を誘導していく。

　第2に、商工会議所等と連携し、長時間勤務を是とした労働生産性の評価ではなく、**時間当たり生産性で評価する社会の構築**に取り組む。研修や講演会の機会を設け、優良事例の紹介を行い、意識啓発に取り組む。さらに、**育児休業、有給休暇等の取得を働きかける**。具体的には、情報発信に加え、会議所の会頭や市長などに**イクボス宣言**等を行ってもらい、企業経営者にその宣言を広めていく。さらに、女性活躍と同様に、男性も含め、**育児休業取得率が高い企業を認証**し、**公共調達で優遇**するなど[3]、企業の育児休業取得率等の向上を誘導する。

　第3に、**女性の視点を生かした行政運営を行うこと**で、**女性が活躍しやすい社会づくり**につなげる。審議会等の所管課には**女性委員の比率の向上**を働きかける。また、開催日時や時間の工夫、保育サービスの提供など女性が参加しやすい環境づくりに取り組む。さらに、市でも、長時間勤務で成果を残すのでなく、**時間当たりの成果を重視する人事評価**に転換し、**能力ある女性の管理職登用**を積極的に進める。

4　女性が活躍できる社会の実現に向けて

　少子高齢化の進行に伴い、**女性が個性と能力を発揮**し、活躍することで、持続的に発展していく社会の実現が求められている。

　私は、こうした社会の実現に向けて、女性が活躍できる環境づくりに積極的に取り組んでいく所存である。

（1）　多くの自治体で条例や計画が策定されています。
（2）　女性活躍推進法では、女性の活躍推進に関する取組の実施状況等が優良な事業主は、申請を行うことにより、厚生労働大臣認定（「えるぼし」）を受けることができ、公共調達で優遇されます。
（3）　次世代育成支援対策推進法でも厚生労働大臣の認定（「くるみん」）を受けることができ、同様に公共調達で優遇されます。

誰もが働きやすい環境整備の課題と取組について論じなさい。

1 誰もが働き続けられる環境の必要性

少子高齢化の進行、人口減少社会への移行に伴い、**労働力人口**が減少し、我が国の**国際競争力の低下、経済活力の減退**が懸念されている。

こうした中で、**持続可能な経済成長**を続けていくには、誰もが**個性や能力**に応じて、自らの意思に基づき働き続けられる必要がある。

このため、本市においても、**活力ある地域社会の構築**に向け、**誰もが働き続けられる**環境整備に取り組んでいかなくてはならない。

2 誰もが働き続けられる環境整備の課題

誰もが働き続けていくには、次のような課題がある。

第1に、**依然として非正規雇用の比率が高くなっている**。新型コロナウイルス感染症の影響により、2021年の正規職員の増加に対し非正規は同程度の減少となった。こうした中でも、非正規雇用の占める割合は4割程度と依然として高い。安定的な雇用が確保されない中で、単純労働に従事することも多く、能力が発揮できない状況にある。

第2に、依然として**福祉的な就労**にとどまっている障がい者が多い。民間企業の障がい者の**法定雇用率**は2021年3月より2.3％に**引き上げられ**、2018年4月からはこれまでの身体障害、知的障害に加え、精神障害も法定雇用の対象となっている。このように、**障がい者の雇用の場は広がりつつある**。しかし、**経営者側の理解が不足**していることもあり、一般就労は限定的[1]で、一般就労しても定着しない場合も多い。

第3に、**出産・育児のために退職した女性は専門性を生かして再就職することが容易ではない**。女性の就労率を年齢別に示したグラフでみられるいわゆるM字カーブは台形に近くなり、改善してきた。しかし、出産・育児による離職から期間が空いた場合、前職の経験や能力を生かせるような就労は難しい。この結果、単純作業に従事する場合も多い。

3 誰もが働き続けられるための取組

私は、誰もが働き続けられるように、次の取組を行う。

第1に、ハローワークとも連携しながら、**非正規雇用者の雇用環境の改**

---

(1) 法定雇用率が達成できない場合に企業が支払う納付金は増加しています。

善に取り組んでいく。ジョブカード[2]などの活用も勧め、本人の希望と足りない経験や知識等を把握しながら、研修受講や職業経験を促していく。このことで、単純労働でなく、一定の技能を生かした正規雇用につなげる。また、非正規雇用者と正規雇用者を求める企業とのマッチングができるよう、相談会などの機会を設けていく。

第2に、**障がい者の雇用環境の改善に取り組む**。障がい者の雇用に消極的であったり、雇用経験のない企業に対し、3か月に限定したハローワークの**トライアル雇用**[3]**の活用**を促すなど、企業側の障がい者雇用の不安解消につなげる。また、研修等を通じて、障がい者の就労定着に当たって必要な①毎朝の体調確認、②業務日誌、③定期的な面談の3点に取り組むよう企業に働きかけていく。こうした実績を積み上げる中で、能力・意欲のある障がい者には積極的に一般就労を促していく。また、障がい者雇用に積極的な中小企業等への**表彰制度**を設け、**公共調達で優遇**することなどにより、企業の取組を誘導していく。

第3に、**女性の就業継続や再就職がしやすい環境づくりに取り組む。公共調達での優遇等のインセンティブを用いながら、企業には育児・出産時の女性の就業継続を促していく。また、出産・育児に伴い退職した女性については、経験等を生かした再就職が可能となるよう**研修等を実施**していく。さらに、相談会等を開催し、**企業とのマッチングを実施**する。このことで、出産・育児を経た女性が、経験や能力を生かし、働き続けられる環境づくりに取り組む。

4　働き続けられ、活力ある社会を目指して

少子・高齢化の進行に伴い、誰もが**個性と能力を発揮**し、**活躍できる社会**を実現していくことが求められている。

私は、誰もが働きやすい環境を整備することで、その能力を発揮できる社会の実現に向け取り組んでいく所存である。

---

(2)　自分を理解し、将来目指すキャリアのために必要な職業経験研修等を考えるツールです。インターネットで入手可能なほか、ハローワークでも入手可能です。
(3)　障がい者を原則3か月間試行雇用することで、適性や能力を見極め、継続雇用のきっかけとすることを目的とした制度です。労働者の適性を確認したうえで継続雇用へ移行することができ、障がい者雇用への不安を解消することができます。

5. 地域主体の安全・安心の確保

　大震災、短時間豪雨等の自然災害が多発するようになっています。災害対応には、**行政による公助**の取組に加え、各家庭が一定の物資の備蓄を行うといった**自助**、避難所運営等を通じて、地域で互いに支え合う**共助**が重要となります。

　また、刑法犯の**認知件数は減少傾向**にあるものの、**地域安全に不安を抱く住民が多い**状況にあります。いわゆる「**体感治安**」はそれほど改善していません。このため、地域で安全・安心を確保するような取組も求められます。

> 設問例　地域での災害対応能力の向上にどう取り組むか、述べなさい。

課題
① 　ハザードマップ等の情報を提供しているにも拘わらず、**関心のない住民が多く、災害発生時に必要な情報が共有されていない**。
② 　**地域の避難所として指定されている小中学校については、一部でしか**その運営体制が確立されていない。
③ 　**要援護者**など、弱者への対応が十分でない。災害弱者の情報が共有されておらず、声掛けや避難所への誘導の手段が明確でない。

解決策
① 　**必要性を認識**してもらい、初動対応等に必要な地域情報を共有する**体制を確立**していく。講演会の実施や地域情報の提供を行う。
② 　災害用トイレ設置などに加え、障害を持った方、高齢の方の誘導など、**地域主体での避難所開設訓練の実施**を働きかけていく。
③ 　災害時要援護者名簿等の情報の共有について**地域住民**と取り組む。二次避難所の福祉施設などへの誘導も確認しておく。

設問例　地域防犯対策の課題と取組について論じなさい。

[課題]
① 犯罪抑止に向け、**地域での見守りや防犯パトロール等が十分行われていない**。落書き等が行われ、それが放置されている。
② **警察**や**市役所**とともに、**住民や企業が一体となった連携体制が十分でない**。一体となった住人への情報発信が行われていない。
③ オレオレ詐欺といった特殊詐欺の件数が増えており、**犯罪の手口等を知らずに被害にあう住民**が増加している。

[解決策]
① **防犯ボランティア団体が行う自主防犯活動を支援**する。地域で落書き消し等に取り組み、「**体感治安**」の改善につなげる。
② **警察、市役所**とともに、**自主防犯組織**など、**地域防犯を目的とした地域の各主体のネットワークの充実・強化**を図る。
③ 漫画、落語、寸劇など様々な手法を用いた情報提供を行い、**多様な手口の犯罪の防止に向けた普及啓発**に取り組む。

●キー・ポイント
　災害対応の取組は、**自助**、**共助**、**公助**に分けることができます。
　ここでは共助を主体に地域でどう取り組むかという視点から整理しました。自助では、自宅での備蓄、家族間の連絡体制などがあります。また、公助として行政が行うべき防災無線等の情報、避難所の整備や発電機等の避難所への備蓄などを取り上げることも可能でしょう。
　防犯についても、地域主体の取組として整理しました。内閣府の2017年の調査によれば、5年前の81.1％よりは改善しているものの、ここ10年間で日本の治安は悪くなったとの回答が依然として60.8％となっています。
　この理由は、新たな手口の犯罪の出現や、地域社会の連帯意識が希薄となったことなどがあり、地域主体の取組も重要といえます。

地域での災害対応能力の向上にどう取り組むか、述べなさい。

1　地域主体の災害対応の必要性

　東日本大震災、熊本地震をはじめ、近年大規模な地震が頻発している。また、地球温暖化の影響により、**大規模な台風**が日本列島を直撃するようになってきた。さらに、**ゲリラ豪雨**の被害も増加している。

　災害対応として、防潮堤の整備、耐震の強化、不燃化の推進など、一定の時間をかけ、**ハード面での整備**を進めていく必要がある。

　一方、**発災時に行政が即座に対応するのは困難**であり、**自助、共助**[1]により、**地域主体で災害対応能力を向上**させなくてはならない。

2　地域での災害対応の課題

　地域での災害対応には、次の課題がある。

　第1に、**災害に対して関心のない住民が多く、災害発生時に必要な情報が共有されていない**。本市は、ハザードマップなど、個人が初動対応に必要な情報を作成し、情報提供している。だが、それが住民に共有されていない。この大きな理由の1つに、自分は関係ない、大丈夫という認識がある。さらに、近年増加する**外国人居住者への対応が十分でない**。

　第2に、**地域の避難所として指定されている小中学校については、一部でしかその運営体制が確立されていない**。避難所設置には、避難所運営会議[2]を構成する町内会の防災部などがあたることになっている。だが、会議体や設置マニュアル等が形骸化しているものもある。また、行政として災害発生時に必要となる資機材を避難所に一定程度確保しているものの、その活用方法などが共有されていない。

　第3に、**要援護者**など、**弱者への対応が十分でない**。個人情報保護の問題もあり、地域で居住している**災害弱者の情報が共有されていない**。また、災害弱者への**声掛けや避難所への誘導が確立されてない**。

3　地域の災害対応能力の向上への取組

　私は、次のような災害対応能力の向上対策を実施する。

　第1に、**災害時の危機対応の必要性をきちんと認識してもらいながら、**

（1）　地域福祉も含め、地域主体の取組の必要性をいう場合に使える単語です。
（2）　その名称は、自治体によって異なります。調べておきましょう。

初動対応等に必要な地域情報を共有する体制の確立に取り組んでいく。具体的には、実際の震災の体験者の講演会等を実施し、災害時の対応の必要性を喚起していく。そのうえで、地域のハザードマップや避難所情報を各戸に配布し、必要な地域情報を提供していく。さらに、こうした情報をインターネットやスマートフォンのアプリでも見られるようにする。特に、自分の住所を入力すれば、すぐに必要な情報を入手できるような工夫をしていく。外国人への対応として、多言語対応のハザードマップなどに加え、スマートフォンアプリなども多言語対応としていく。

第2に、**地域主体での避難所開設訓練の実施**を働きかける。町内会の防災部とともに、地域のマンションの管理組合の役員にも参加してもらい、訓練を実施する。訓練では、災害用トイレ設置などに加え、障害を持った方、高齢の方の誘導など実践的な内容としていく。あわせて、HUG[3]なども活用し、様々な事態に対応できる取組も進める。

第3に、**災害時要援護者名簿**[4]**等の情報の共有**について**地域住民と取り組む**。要援護者名簿は市に作成が義務付けられている。だが、申し出に基づく同名簿の登録に消極的な人も多い。こうした中で、地域の高齢者等に災害時の対応の必要性を説明し、確認を得て登録してもらい、名簿を共有していく。あわせて、地域で日頃から声を掛け合い、地域の災害弱者を把握していく。さらに、避難訓練などでは、一次避難所に加え、二次避難所としての福祉施設などへの誘導も確認する。

4　地域の災害対応能力の向上に向けて

災害が増加する中、**発災時の被害を最小化**するように、地域の災害対応能力の向上に取り組んでいく必要がある。

私は、こうした地域の災害対応能力の向上に向け、地域の方々とともに、積極的に取り組んでいく所存である。

---

(3)　HUGは「避難所運営ゲーム」の略で、実際の避難所における動きをシミュレーションできるゲームのことです。
(4)　2013年6月の災害対策基本法の改正で、高齢者等の要配慮者のうち、災害発生時の避難等で、特に支援を要する方の名簿（避難行動要支援者名簿）の作成が義務付けられました。従来から使っている災害時要援護者名簿の名称も使われています。

地域防犯対策の課題と取組について論じなさい。

1　地域での防犯対策の必要性

　本市では、刑法犯の認知件数は減少傾向にある。しかし、地域安全に不安を抱く住民は多く、「**体感治安**」[(1)]の改善の必要がいわれている。

　また、**核家族化の進行**とともに、**地域コミュニティの希薄化**に伴い、単身高齢者などをターゲットとした**特殊詐欺も増加**してきている。

　こうした中で、本市は、**市民が抱く不安に適切に対応**し、**地域での防犯対策を強化**し、安全・安心のまちづくりを進めていく必要がある。

2　地域での防犯対策の課題

　地域の防犯対策の課題は、次のとおりである。

　第1に、**地域での見守りや防犯パトロール等が十分に行われていない**。犯罪抑止に向け、犯罪者に対して地域の防犯対策が行われているというメッセージを送る必要がある。しかしながら、その抑止のための活動が十分となっていない。また、落書き等の器物損壊が行われ、それが放置される結果、さらなる落書きを誘発し[(2)]、景観の悪化とともに、地域の安全・安心の阻害要因となっている。

　第2に、**警察や市役所**とともに、**住民や企業が一体となった連携体制が十分でない**。警察や行政、消防などとともに、住民や企業から構成される組織は設置されている。だが、年1回程度の総会以外、活動しておらず、一体となった住民への情報発信などが行われていない。

　第3に、高齢者をはじめ、**犯罪の手口等を知らずに被害にあう住民が増加**している。単身高齢者世帯が増加する中でオレオレ詐欺といった特殊詐欺の発生件数も増えている。特に、家族間のつながりの希薄さもこうした状況に拍車をかけている。

3　地域での犯罪抑止に向けた取組

　私は、地域の犯罪抑止に向けて次の取組を進める。

　第1に、**防犯ボランティア団体が行う自主防犯活動を支援**する。具体的

（1）　統計に表されたものでなく、人々が感じる治安の状況をいいます。
（2）　1枚の割れた窓を放置しておくと、誰も関心を持っていないとのメッセージを送ることになり、割れ窓が増えていくという「割れ窓理論」もいわれています。

には、団体にビブス、腕章など、パトロールに必要な資機材の提供を行い、活動の継続・活性化につなげる。また、警察などにも呼びかけ、防犯ボランティアと一体的なパトロールを実施する。さらに、愛犬家等に働きかけ、犬の散歩に合わせた「わんわんパトロール」を実施していく[3]。公共空間の落書き等に対しては、頻発地点へ防犯カメラを設置するとともに、地域のボランティアと「落書き消し隊」を結成し、落書き消しに取り組む。こうした**犯罪抑止の取組**により、「**体感治安**」**改善**につなげていく。

第2に、**警察、市役所**とともに、**自主防犯組織**など、**地域防犯を目的とした地域の各主体のネットワークの充実・強化**を図る。定期的に会議を開催するとともに、不審者や犯罪発生状況など、地域防犯に係る情報を共有する。こうした情報について、スマートフォンアプリなどを活用し、住民に提供できる仕組みも構築する。特に、**痴漢や声掛けなどの多発地点をマップ上で見える化し、ボランティア、住民へ情報提供**を行い、犯罪抑止につなげる。

第3に、**住民を対象に多様な手口の犯罪防止に向けた普及啓発**に取り組む。各種広報媒体などとともに、漫画、落語、寸劇など様々な手法を用い、理解が進むように情報を提供する[4]。特に、特殊詐欺の対象となりやすい高齢者はこうした詐欺の存在を知っていても、騙されてしまう場合も多いため、電話機の近くに掲出可能なステッカー等の広報媒体を作成し、不審電話の際に注意喚起ができるようにする。さらに、民生委員とも連携し、単身高齢者世帯等には、不審電話に関する警察等への相談とともに、子ども世帯との緊密な連絡や確認を促す。

4 地域社会の安全・安心の確保に向けて

地域で連携した防犯対策に取り組み、**体感治安の改善**につなげ、単身高齢者世帯をはじめ、誰もが、安全・安心に暮らせるまちづくりを進めていく必要がある。

私は、地域での犯罪抑止に向け、地域住民の方々とともに積極的に取り組んでいく所存である。

（3） 郵便配達員や宅配便の配達員の協力を得ることも考えられます。
（4） 警察署などが様々な媒体を活用して行っています。こうしたものを自治体として活用することも重要といえます。

6. 地域の活性化

　東京への人口集中、一極化が進む中で、地方の人口減少に歯止めをかけ、日本全体の活力を向上させることなどを目的として、地方創生の取組が進められています。

　また、都市間競争が激しさを増す中で、自治体として地域の資源を活用し、都市としての魅力をアピールしていく**シティプロモーション**の必要性がいわれるようになってきています。

　今後の自治体経営全般を考えていくうえでは、このように**地域の活性化**や、**地域の魅力**をいかに高めるかといった点も重要です。

> 設問例　地域の活性化（地方創生）に向けた課題と取組について論じなさい。

課題
① 　製造業が空洞化しており、**市内産業が低迷している**。**雇用が失われ、仕事が不足し、人口減に拍車をかけている**。
② 　保育所・医療機関不足から**若年世帯の転出が多い**。市内企業はワーク・ライフ・バランスに欠け、**若者の希望の働き方ができない**。
③ 　人口減少の結果、医療機関、店舗など日常生活に不可欠な**まちの機能が市内に点在**してしまい、**住民の利便性が低くなっている**。

解決策
① 　地域経済分析を的確に行いながら、**地域資源を生かした産業育成**に取り組む。地域プロジェクトマネージャー等を活用し、様々な主体が連携していく。
② 　子育て世帯の経済的安定性の確保、保育所や診療所等の確保など、**子育て環境の整備**に取り組む。市内企業の**働き方改革を誘導**する。
③ 　立地適正化計画を策定し、これに基づく、**コンパクトシティ化**や、**小さな拠点づくり**に向けた取組を進め、住民の利便性を確保する。

設問例　シティプロモーションの推進に向けた課題と取組を論じなさい。

課題
① 各部署が都市の魅力の発信に取り組んでいるものの、**総合的な取組となっておらず、都市の魅力を十分に発信できていない**。
② 磨けば光るような**イベント、史跡等の地域資源が発信されていない**。**先駆的な独自の政策が知られていない**。
③ **市民や企業と連携し、地域が一体となった都市のプロモーション**ができていない。**愛着を持って様々な情報を発信**する重要性が共通の認識となっていない。

解決策
① シティプロモーションに向けた**戦略方針を策定**し、**横断的なプロジェクトチームを設置**し、**魅力の発信**に取り組む。
② **地域の住民や学生等の参加を得ながら、地域の資源の発掘**に取り組む。**住民のシビックプライドの醸成**にもつなげる。
③ 商工会議所、地域の企業にも参加してもらい、**地域のプロモーションを進める団体を設立**し、地域を挙げて取組を進める。

●キー・ポイント

　地方創生については、すべての自治体で「まち・ひと・しごと創生総合戦略」が策定され、取組が進められています。国の戦略では、基本目標として①稼ぐ地域をつくるとともに、安心して働けるようにする、②地方とのつながりを築き、地方への新しいひとの流れをつくる、③結婚・出産・子育ての希望をかなえる、④ひとが集う、安心して暮らすことができる魅力的な地域をつくるが挙げられており、ここでは①③④を中心に作成しました。
　また、シティプロモーションは、単に都市のことを伝えるといった次元を超えた取組といえます。**自治体のイメージをきちんと構築**したうえで取り組んでいく必要があります。

地域の活性化（地方創生）に向けた課題と取組について論じなさい。

1　地域の特性に応じたまちづくりの必要性

東京への人口集中、一極化が進んでおり、本市でも、**人口の自然減**とともに、**社会減**による人口減少が大きな課題となっている。

特に、市内の中核産業である家庭電化製品製造の主要工場の閉鎖と関連企業の撤退により、その従業員等の転出が大きくなっている。

こうした中で、本市の**地域の特性**を踏まえながら、**地域の活性化**に向けた取組を進め、働く場所を確保し、人々が**安心して暮らし続けられる**まちづくりを進めていく必要がある。

2　地域の活性化に向けた課題

本市の地域活性化には、次の課題がある。

第1に、**市内で仕事が不足**している。これまでの中心産業であった**製造業の空洞化**により、**市内産業が低迷**している。この結果、**雇用が失われ**、市内で働き、居住したい意向を持っている人々も他地域に移らざるを得なくなっている。結果として、**人口減に拍車**をかけている。

第2に、**若年世帯の転出が多い**。本市域内では出産・子育て時に必要となる**保育所や小児科をはじめとする医療機関**などが不足している。このため、市域内での居住を望んでいても、仕方なく市域外で子育て等を行う世帯も多くなっている。また、市内の**中小企業**には長い歴史を持つものも多いが、ワーク・ライフ・バランスの確保といった視点に欠け、**若者の希望に応じた働き方ができない**場合も多くなっている。

第3に、**人口減少が進んだ結果、まちの機能が市内に点在してしまっている**。特に、日常生活に不可欠な医療機関、店舗などの機能が点在しており、ワンストップで用事を済ませることができなくなっている。このため、**住民の利便性が低く**なっている。

3　地域の活性化に向けた提案

私は、地域の活性化に向け、次の対策に取り組む。

第1に、**地域資源を生かした産業の育成**に取り組む。地域資源の把握のため国の提供する**RESAS**[1]を用い、**地域経済分析を的確**に行う。そのうえで、国の補助金等も活用し、強みがある産業分野での**企業誘致**を進める。

また、地域プロジェクトマネージャー[2]や**地域おこし協力隊**[3]の確保により、よそ者の視点を入れながら、様々な主体が連携し、地域の活性化に取り組むようにする。さらに、零細な**農業等は、法人化を含めた大規模化・機械化**を積極的に進める。このことで、仕事の分業等が可能となり、職の確保に加え、労働環境改善にもつながる。

第2に、**子育て環境の整備**に取り組む。若年世帯への**出産祝い金**や、**子育て世帯への住宅補助**などにより経済的安定性の確保に取り組む。こうした支援策は、国の補助金等を併用できるようにし、最大限の効果を発現させていく。さらに、保育所や診療所等を確保し、若年世帯が市内で子育てしながら、働ける環境をつくり出す。**公共調達におけるインセンティブ等も導入**しながら、市内の中小企業の**働き方改革を誘導**し、働きやすく、子育てしやすい環境づくりに取り組んでいく。

第3に、中心市街地の**コンパクトシティ化**[4]や、いくつかの集落が利用できる**小さな拠点づくり**に向けた取組を進める。駅前に位置し、本市の中心である市役所周辺を中心に、都市計画区域を対象とした**立地適正化計画**[5]**を策定**し、これに基づく取組を進め、本市の玄関口として魅力的な街にしていく。さらに、郊外部についても住民の利便性が確保可能となるよう**機能の集約化**を誘導していく。

4 持続可能な豊かな地域社会に向けて

人口減少が続く中にあっても、**地域の特性を生かしながら、地域の活力を維持し、持続可能なまちづくりを進めていく必要がある**。

私は、本市の特性を十分生かしながら、**地域の活性化**に積極的に取り組んでいく所存である。

---

(1) 産業構造や人口動態などの官民ビッグデータを集約し、可視化するシステムで、地方創生の様々な取組を情報面から支援するために提供されています。
(2) 令和3年度に総務省が創設した制度で、外部人材、地域、行政、民間などが連携して取り組むために橋渡ししつつ、プロジェクトをマネジメントできる人材を市町村が任用できるものです。
(3) 一定期間、地域に居住して、地域ブランドや地場産品の開発・販売・PR等の地域おこしの支援や、農林水産業への従事、住民の生活支援などの「地域協力活動」を行いながら、その地域への定住・定着を図る制度です。
(4) 都市機能や居住機能を中心市街地等にコンパクトにまとめるまちづくりです。
(5) 都市再生特別措置法に基づき、都市全体の観点から、居住機能や福祉・医療・商業等の都市機能の立地、公共交通の充実に関する包括的なマスタープランとして作成するものです。

シティプロモーションの推進に向けた課題と取組を論じなさい。

1　本市のブランド力を確立する必要性

我が国が**成長期から成熟期へと移行**し、大きな成長が期待できなくなる中で、**都市間競争が激しさを増している**。

都市間競争を勝ち抜くには、本市の**ブランド力を高め、確立**させることで、**定住人口や来訪者の増加**につなげていく必要がある。

このためには、市民の地域に対する愛着度である**シビックプライド**を高め、**地域社会への参画**を促し、**定住意識を高めていく**必要がある。さらに、定住者が**地域の魅力を発信**し、**市外からの認知度の向上**につなげていくという、**好循環を構築**していかなくてはならない。

2　シティプロモーション推進の課題

本市のシティプロモーションには、次のような課題がある。

第1に、本市の、都市としての**総合的な魅力**をきちんと伝えられていない。様々な媒体で様々な部署がスポーツ[1]、自然、歴史・文化など、本市の有する都市の魅力の発信に取り組んでいる。しかしながら、本市の魅力の一部に焦点をあてた内容で、その**魅力を十分に発信できていない**。

第2に、**地域の資源等が発信されていない**。居住者から見れば当たり前の地域資源が、来訪者にとっては**貴重な資源である**場合が多い。また、本市では、子育て施策を中心に、居住者にとって**魅力的な独自政策を数多く行っている**。だが、こうした地域資源や先駆的な政策の重要性を市民、そして行政も認識していない。結果として、磨けば光るような**イベント、史跡等**が地域のレベルにとどまり、**先駆的な独自の政策も知られておらず**、本市の魅力を発信できていない。

第3に、**市民や企業と連携**し、**地域が一体となった都市のプロモーション**ができていない。市民や市内企業、その従業員に本市のよさを実感してもらい、**愛着を持って様々な情報を発信**してもらう必要がある。それは居住者には住宅の**資産価値の向上**、企業にも**企業イメージの向上**につながる。しかしながら、それが共通の認識となっていない。

（1）　スポーツでは、JリーグやBリーグのように地域と連携したスポーツチームなどもアピールできるポイントです。

3　シティプロモーション推進の方策

　私は、次のとおりシティプロモーションを進める。

　第1に、シティプロモーションに向けた**戦略方針を策定**し、**横断的なプロジェクトチームを位置づけ**、**魅力を発信**していく。その際、本市は、誰もが知っている歴史的な偉人の○○の生誕地[2]であることから、そのゆるキャラを用い、市のイメージを構築していく。さらに、歴史のある都市といった**ブランドメッセージ**[3]を製作し、それを市民、企業、市外へ発信していく。広報手法としては、広報誌、SNSなど様々な手法をミックスする。特に、各部署が戦略方針に則って、**ブランドメッセージを用いながら、広報等に取り組むことで、一体感を醸成**し、相乗効果を発現させていく。

　第2に、**地域の住民や学生等の参加**を得ながら、**地域の資源の発掘**に取り組む。住民の投票により、好きな場所や好きなイベントを発掘し、それをプロモートしていく。**住民が愛着を持っている地域資源を磨き上げ、発信**していくことで、**住民のシビックプライドの醸成**にもつなげていく。また、学生や店舗等と連携して、菓子などの名産品づくりも進める。さらに、本市の先駆的な子育て施策を積極的にPRし、**子育てしやすい都市**[4]というイメージを確立していく。

　第3に、商工会議所、地域の企業にも参加してもらい、**地域のプロモーションを進める団体を設立**し、地域を挙げて取組を進める。その際、企業等が有する工場等も地域資源としてとらえ、工場見学等を実施していく。さらに、SNSを通じて、工場見学の見どころを従業員から発信してもらうなど、一体となって情報発信に取り組んでいく。

4　本市のブランド力の確立・向上に向けて

　都市間競争の時代では、**高いブランド力を構築**し、その競争を勝ち抜き、住民や企業から**選ばれる**都市となっていく必要がある。

　私は、本市のブランド力の確立・向上に積極的に取り組んでいく所存である。

---

(2)　浜松市の徳川家康など、歴史偉人のゆるキャラは数多く採用されています。
(3)　自治体として市民、事業者などに伝えたい都市のメッセージをいいます。
(4)　「母になるなら流山」のように、子育てしやすい都市をPRしているものも多いです。

7. 地方分権・市民利用施設の再編

　2000年の分権改革により自治体の首長等に国の機関として事務を委任する機関委任事務が廃止されました。また、2010年以降も、**権限移譲**や、法令による自治体への**義務付け・枠付けの見直し**が進められており、**自治体の裁量は拡大**してきました。

　こうした中で、各自治体には、その保有する権限を活用しながら、地域の実情を踏まえ、住民ニーズに応じた行政サービスを提供することが求められています。

　また、**厳しい財政状況**下で、**行政改革**が進められており、人口も減少に転ずる中で、高度経済成長期に建設を進めてきた**公共施設の再編・長寿命化等**が求められるようになってきています。

設問例　地方分権への対応について論じなさい。

【課題】
① 職員の**地方分権に対する理解や政策形成能力が十分といえない**。依然として、**国の技術的助言などに依拠して仕事を行っている**。
② 自治体は地域の総合行政主体として位置づけられたにも拘わらず、国の省庁に応じた**縦割の意識が依然として強く**、**総合的な行政運営が行われていない**。
③ 分権型社会では、**住民ニーズに対応した行政サービスが期待されて**いるが、**地方分権の成果を住民が実感できていない**。

【解決策】
① **階層別研修等で職員に地方分権の講義を実施**し、理解を深める。**提案募集方式**について説明し、各部局からの**提案の増加**につなげる。
② 地方分権に係る**組織横断的なプロジェクトチームを設置**し、総合的な視点から地方分権に対応する。新たな政策条例の制定を検討する。
③ 住民の意見を聴きながら、パスポートの発給をはじめ、**住民の利便性の向上に資するような事務の移譲等**に取り組む。

設問例　市民利用施設の長寿命化・再編にどう取り組むか、述べなさい。

[課題]
① 高度成長期に建設した多くの施設について、**適切な維持管理が行われておらず、故障や破損等の老朽化が顕著**となっている。
② **直営**であり、施設の運営費に多額の費用を要している割に**住民ニーズに弾力的に応えられていない**。
③ 地域ごとの**人口や年齢構成が変化**しているにも拘わらず、見直しを行ってきておらず、**地域ごとに施設の不均衡**が生じている。

[解決策]
① 対症療法型でなく、**市有施設のカルテを整備し、予防保全型の維持管理スタイル**に転換していく。**民間のノウハウを活用**する。
② 指定管理者制度等、**民間の発想に基づき、住民ニーズに対応した弾力的な運用が可能となる制度**を施設に導入する。
③ 人口減少地域における**施設の統廃合**など、**利用実態を踏まえた再編整備を推進**する。**客観的なデータ**も示し、理解を得ていく。

●キー・ポイント

　地方分権については、自分の業務の中で、裁量の拡大を感じることは少ないという人も多いでしょう。ただ、自分の担当事務に係る法律に目を向けてみると、2000年の地方分権改革、最近の**義務付け・枠付けの見直し**の中で変更されているものもあるはずです。自分の所管事務の法律の変遷などを見ると、理解が深まります。
　公共施設について、ここでは全般についてまとめましたが、老朽化対策として①**庁内の推進体制**、②**公共施設のマネジメントの専門的知識**、③**施設の統廃合等に向けた住民等との合意形成**などを挙げることもできるでしょう。

地方分権への対応について論じなさい。

1 地域の実情に応じた行政運営の必要性

　高度成長期は**画一的なインフラ整備**で、**量的充足**が図られた。社会の成熟化に伴い、**地域の実情に応じたまちづくり**が求められている。

　また、2000年の地方分権改革により**機関委任事務**[(1)]が廃止された。その後、**義務付け・枠付け**[(2)]**の見直し**が進められ、現在は自治体からの**提案募集方式**[(3)]となった。この間、市の権限・裁量は拡大してきた。

　こうした中で、本市としては、現在の権限等を最大限に活用し、**地域の総合的な行政主体**として行政運営を推進していく必要がある。

2 地方分権の推進に向けた課題

　地方分権の推進の課題は、次のとおりである。

　第1に、職員の**地方分権に対する理解**や**政策形成能力**が十分といえない。国と地方の関係は**上下・主従から対等・協力**となり、**条例制定権も拡大**されている。しかしながら、依然として、**国の技術的助言**[(4)]などに依拠して多くの仕事を行っている。このため、行政運営は大きな変化を遂げておらず、地方分権に対応したものとなっていない。

　第2に、国の省庁に応じた**縦割の意識**が依然として強く、**総合的な行政運営が行われていない**。分権一括法により自治体は地域の総合的な行政主体として位置づけられた。そして、市長を中心として、総合的に行政運営を行っていくべきである。しかしながら、職員は、縦割の意識を持って仕事をしている。

　第3に、**地方分権の成果を住民が実感できていない**。分権型社会では、行政サービスが**住民の多様なニーズに即応する迅速・総合的**なものになり、また、**住民の自主的な選択に基づいた個性的**なものになるべきである。既に一部の事務は市に移譲され、ワンストップ化等が達成されている。しかし、住民の多くが分権の成果を実感していない。

（1）　首長等が法令に基いて国から委任され、「国の機関」として処理する事務でした。
（2）　国が法令で自治体の事務の実施やその方法を縛っているものをいいます。
（3）　自治体等から地方分権改革に関する提案を広く募集し、それらの提案の実現に向けて検討を行う方式をいいます。
（4）　地方自治法に基づき、国が発出するもので、客観的に妥当性のある行為又は措置を実施するように促したりするものです。

3　分権型社会に対応した行政運営の推進

　私は、分権型の行政運営に向け、次の対策を行う。

　第1に、**階層別研修で地方分権に関する講義**を実施し、その理解を深めていく。特に、研修の中では、現在行われている**提案募集方式**の説明も行い、各部局からの**提案の増加**につなげていく。また、自薦・他薦により参加者を募り、政策形成研修や政策法務研修を実施する。研修では、分権に対応した政策や条例の制定事例を紹介しながら、政策や条例の立案などにチームで取り組んでもらう。こうした取組を通じて、**職員の政策形成能力や政策法務能力の向上**に取り組む。

　第2に、分権推進担当が事務局を担い、地方分権に係る**組織横断的な課長級のプロジェクトチームを設置**し、総合的な視点から地方分権に対応していく。都市公園での保育所設置の解禁のように、都市整備部局、福祉部局など部局の垣根を越えて、総合的に対応すべき取組も増えている。こうした地域課題について総合的な行政主体として対応できるように部局間で連携した取組を進めていく。さらに、プロジェクトチームの中で、他都市の動向も踏まえながら、新たな政策条例の制定についても検討していく。

　第3に、住民等を委員とした附属機関等を設置し、住民の意見を聴きながら、**住民に身近な事務の移譲等の取組を進める**。パスポート発給のように、県から事務移譲されることによって、行政サービスの向上に資する事務も多い。こうした事務は、事務処理の特例に関する条例[5]に基づき、**本市に事務移譲を進め、住民の利便性の向上**につなげる。さらに、市の実情に応じ、さらなる事務移譲等を国に求めていく。

4　分権型社会にふさわしい地域社会へ

　豊かな地域社会を構築していくには、それぞれの**地域の実情に応じた行政運営**を行っていくことが不可欠となっている。

　私は、**分権型社会にふさわしい事務執行が行われる職場の構築**に積極的に取り組んでいく所存である。

（5）　地方自治法に基づき都道府県が条例で定めた事務を市町村が処理できます。

市民利用施設の長寿命化・再編にどう取り組むか、述べなさい。

1 施設の長寿命化・再編の必要性

　本市では、人口の急増に伴う**行政サービス需要の増加**に応じ、高度成長期に、保育所、市民館等の市民利用施設を多数建設した。

　こうした施設の多くは建設から40年以上を経て**更新や大規模修繕の時期を迎えている**。このため、中長期的な財政状況、今後の行政サービス需要を踏まえ、施設の長寿命化・再編等に取り組む必要がある。

　特に、本市でも、既に人口は減少局面を迎え、**現状のまま施設を維持し続けるのは困難**[1]であり、早急な対応が不可欠となっている。

2 本市の市民利用施設の課題

　本市における市民利用施設の課題は、次のとおりである。

　第1に、高度成長期に建設した多くの施設について、**適切な維持管理が行われておらず、故障や破損等の老朽化が顕著**となっている。新たな施設も維持管理が適切に行われず、数年を経過すると、故障等が目立つようになってしまう。このため、市民からも空調をはじめ、施設利用にあたっての要望が多く寄せられている。特に、公民館等の使用料を徴収する施設については適切な対応を早急に行う必要がある。

　第2に、多くの施設が**直営であり、住民ニーズに弾力的に応えられていない**。市の職員が多く配置され、施設の運営に多額の費用を要している。一方、民間に委託している事務は清掃等の維持管理業務の一部に限定されている。また、直営であるため、毎年度の予算の枠の中で施設運営をしていく意識が強く、**施設の魅力を高め、利用者を増加させ、運営費用を捻出していこうという意識に欠けている**。

　第3に、**地域ごとの人口や年齢構成が変化**しているにも拘わらず、施設の見直しが行われてきておらず、**地域ごとに施設の不均衡**が生じている。高齢化が進むエリアにおいても児童福祉施設が立地しており、利用率が低下している。一方、近年開発されたエリアでは児童のための施設が不足しており、不均衡が生じている。

（1）　こうした状況はどの自治体も同じで、総務省は自治体に対して公共施設等総合管理計画の策定を要請しています。

3　施設の長寿命化・再編に向けた取組

　私は、施設の長寿命化等のため、次の取組を進める。

　第1に、対症療法型でなく、**予防保全型**[2]**の維持管理スタイルに転換**していく。その際、大規模修繕の履歴などを記した**市有施設のカルテを整備**し、躯体部分、熱源部分など、耐用年数に合わせて、施設の計画的な保全を行っていく。当初は、費用の増大につながるものの、維持管理費用の低減等により中長期的にはコストの削減につなげていく。あわせて、ESCO[3]事業などの**民間のノウハウを活用した施設整備・保全の形態を採用**し、省エネ機器の導入を進め、中長期的な施設運営費の低減に取り組んでいく。特に、コスト低減のために、複数施設の一体的管理委託についても早急に検討を進める。

　第2に、指定管理者制度をはじめ、**民間の発想に基づき**、**住民ニーズに対応した弾力的な運用が可能となる制度**を施設に導入していく。指定管理者の募集に当たっては、**住民ニーズを取り入れる**とともに、**独自提案が可能な仕様**としていく。民間の発想が生かせるようにすることで、民間事業者にとっても事業収入の増加によるインセンティブが働くようにする。新たな施設は、施設の維持管理に加え、建設、運営も一体的に行うPFIの導入の検討も進めていく。こうした取組により、**魅力的で住民ニーズに応えられる施設**を目指していく。

　第3に、**利用実態を踏まえた再編整備を推進**する。特に、人口減少地域の公共施設は**施設の統廃合を含めた取組**を進める。こうした施設の統廃合に当たっては、住民からの反対が示されることが懸念される。しかしながら、**将来の財政負担など客観的なデータ**も示しながら、統廃合の必要性を丁寧に説明し、理解を得ていく。

4　持続可能な市政運営に向けて

　財政状況が厳しく、人口減少が見込まれる中では、市民の理解を得ながら、**市民利用施設の長寿命化・再編等**に取り組む必要がある。

　私は、**客観的なデータを積み上げ**、**市民と真摯な議論を重ね**ながら、長寿命化・再編等に取り組んでいく所存である。

（2）　長寿命化のため、劣化が進む前に計画的に修繕等を実施することをいいます。
（3）　ESCO事業とはEnergy Service Companyの略で、省エネ機器等を導入し、光熱水費等の経費を削減し、その削減実績から対価を得るビジネスをいいます。

8. 市民との協働・ボランティア活動の推進

　1995年の阪神・淡路大震災以降、ボランティアに対する関心が高まってきたとされます。その後、NPO法が成立し、法人格を持った多くの特定非営利活動法人が設立されています。また、**最近の震災や豪雨災害の中でもボランティアの活躍は注目**を集めています。
　一方、**住民ニーズの多様化**に伴い、多様な主体と協働しながら豊かな地域社会を構築していく必要があります。
　こうした中で取り上げられるのが、市民との協働をいかに進めるか、ボランティア活動をいかに推進するかといった点です。

> 設問例　様々な主体と協働した取組をどう進めるか、述べなさい。

課題
① **協働した取組に対する職員の理解**が十分でない。協働により期待される**多様な主体の連携による相乗効果を発揮できていない**。
② **協働を進めるうえでの考え方が、事業を担当する職員ごとに異なっている**。このため、信頼関係構築のうえで問題が生じている。
③ 市民活動団体との**協働で取り組める事業メニュー**が限られており、協働した取組の幅を広げていくことができないでいる。

解決策
① 職員を対象に**講義形式の研修を実施**する。**職員を市民活動団体等に派遣する研修**も行い、**協働の重要性・必要性の認識**を深める。
② 市民活動団体の参加も得ながら、**協働のルールを作成**し、このルールを協働型の事業や委託にも反映させていく。
③ 協働提案事業など**協働型の事業の導入**に取り組む。**中間支援機能の確保や活動拠点の設置**等を進め、協働型委託事業として実施する。

設問例 ボランティア活動を推進するうえでの課題と取組について論じなさい。

[課 題]
① ボランティアをしてみたい人、関心がある人は多いが、**実際のボランティア活動を行っている人は限定的**となっている。
② 市民活動団体等が必要とする経理やICTといった**専門的な能力を持ったボランティアが不足**している。
③ **地域の企業で働く従業員たちがボランティア活動**を行う環境ができていない。このため、ボランティアに時間を割けていない。

[解決策]
① ボランティアセンター、Web等を活用し、**ボランティア活動に係る情報発信やきっかけづくり**に取り組む。
② **プロボノ（ProBono）活動を推進**し、専門的知識等を有する地域の人材のボランティア参加を促す。**人材のデータベースを構築**する。
③ 事業者とのネットワークを構築しながら、**企業として、さらには従業員個々人としてボランティアに参加する環境を整備**する。

●キー・ポイント

　協働提案事業は多くの自治体で行われています。また、協働のルールが定められていたり、協働推進条例が制定されている場合もあります。こうした点について、自分の自治体の状況を確認しておきましょう。
　ボランティアについては、震災や豪雨災害の際に多くのボランティアが被災地に入って活動する事例がマスコミ等でも紹介されています。危機管理体制の中での**受援体制の整備**の１つにボランティアの受け入れを入れてもいいかもしれません。

様々な主体と協働した取組をどう進めるか、述べなさい。

1 様々な主体と協働した取組の必要性

本市でも、**少子高齢化の進行**により、人口は減少傾向にある。また、単身高齢者世帯の増加、町内会・自治会の加入率の低下など、**地域社会での人間関係の希薄化**が進み、**地域課題は多様化・複雑化**している。

限られた行政資源や町内会等の地域団体のみで、地域課題に対応し、**持続可能な地域社会を構築**していくのは困難となっている。

こうした中で、地域で活動する市民活動団体、企業など、多様な主体が協働した取組を進め、それぞれの個性を発揮しながら、**総体として相乗効果**を上げ、地域課題の解決に取り組んでいく必要がある。

2 協働した取組を進めるうえでの課題

本市における協働の推進に向けての課題は、次のとおりである。

第1に、**協働した取組に対する職員の理解**が十分でない。委託して協働型事業を進める場合でも、市民活動団体等を単なる一事業者として認識している職員も多い。また、協働型の事業を単なる安上がりの事業として考えている職員もおり、その効果などを考慮せずに安易に取組が進められている。結果として、協働により期待される**多様な主体の連携による相乗効果**を発揮できていない。

第2に、**協働を進めるうえでの考え方が、事業を担当する職員ごとに異なっている**。このため、担当者の交代により取組が大きく後退する場合もみられる。結果として、市民活動団体などが行政に不信感を抱いたり、信頼関係を構築していくうえで問題が生じている。

第3に、市民活動団体との**協働で取り組める事業メニュー**が限られている。イベント開催など、協働して取り組む事業はあるものの、毎年の通例の事業を行っているにとどまっている。このため、協働した取組の幅を広げていくことができないでいる。

3 多様な主体が協働するための取組

私は、多様な主体による協働を推進するために、次の方策を実施する。

第1に、協働に対する理解を深めるため、職員を対象として**講義形式の研修を実施**する。この中では、実際に活動を行っている市民活動団体等の

スタッフから現場の課題等についても話をしてもらう。あわせて、**職員を市民活動団体等に派遣する研修**も実施する。こうした取組を通じて**協働の重要性、必要性の認識**を深めてもらう。

第2に、**協働に当たっての全市的な統一ルールを作成**[1]し、このルールを市民活動団体等と行政が共有していく。このことで互いに協働に対する共通認識を持つことが可能となる。ルールの策定には、策定委員会に市民活動団体等の参加を得るとともに、アンケートやヒアリングなどを行い、広く市民活動団体の意見を聴取しながら取り組んでいく。こうしたルールを協働型の事業や委託にも反映させ、**相互に信頼関係が醸成**され、**相乗効果を上げられる**ようにしていく。

第3に、協働提案事業[2]など**協働型の事業の導入**に取り組む。事業の選定では公開でのプレゼンを実施し、過程をガラス張りにする。また、選定基準や結果も公表し、事業の公共性を十分考慮した応募・選定を行っていく。こうした協働提案事業の実施により、市民活動団体等のノウハウを活用し、相乗効果を上げることが可能となる。さらに、協働の取組の拡大のため、ボランティア育成のための**中間支援機能**[3]の確保や**活動拠点の設置・強化**を進めていく。こうした拠点の管理はNPOや市民活動団体への協働型の委託事業によることも検討・実施する。

4 豊かな地域社会の構築に向けて

地域社会の**課題は多様化・複雑化**しており、限られた資源を用いて、**行政が画一的に対応するだけでは十分でなくなっている**。こうした中で、**持続可能な地域社会を構築**していくには、市民活動団体をはじめ**多様な主体と協働した取組**を進めていく必要がある。

私は、多様な主体との協働が進んでいく環境づくりを進め、**持続可能な地域社会の構築**に積極的に取り組んでいく所存である。

---

(1) 協働のルールなどを策定している団体も多いです。自分の自治体の状況を確認し、策定済の場合は浸透状況等を踏まえ、課題・対応を述べましょう。
(2) 協働提案事業は、市民活動団体の創意を生かす形で、協働提案を公募し、選考された企画を協働で実施する事業です。多くの自治体で実施されています。
(3) 行政と市民団体等の間に立って、社会の変化やニーズを把握し、地域における様々な団体の活動や団体間の連携を支援する組織をいいます。

ボランティア活動を推進するうえでの課題と取組について論じなさい。

1 ボランティア活動の推進の必要性

　1995年の阪神・淡路大震災以降、ボランティアに対する社会的な関心が高まりを見せてきた。最近の震災や豪雨災害でも、ボランティアの活躍は**災害からの復旧・復興への大きな原動力**となっている。

　さらに、**住民ニーズは多様化**してきており、地域の状況を踏まえながら、行政のみでなく、多様な主体と連携・協働し、地域を起点とした活動を活発化していく必要がある。

　こうした取組を進め、**豊かで持続可能な地域社会を構築**していくうえで、ボランティアは不可欠な存在となってきている。

2 ボランティア活動の推進の課題

　ボランティア活動の推進には、次のような課題がある。

　第1に、ボランティアをしてみたい人、関心がある人は多いが、**実際にボランティア活動を行っている人は限定的**となっている[1]。地域社会に貢献したいという思いはあるものの、ボランティア活動に係る情報不足や、きっかけの欠如から具体的な活動につながっていない。

　第2に、市民活動団体等が必要とする**専門的な能力を持ったボランティアが不足**している。市民活動を進めていくうえでは、法人としての経営や経理、Web作成といったICTなどの知識や技術、技能も必要となる。しかしながら、こうした知識等を提供する専門的なボランティアの多くは定年退職者など限定的であり、市民活動団体等が必要とする人材が集まっていない。

　第3に、**地域の企業で働く従業員たちがボランティア活動を行う環境**ができていない。ボランティアに関心のある人の多くは有業であり、昼間は勤務をしている。また、大企業等ではボランティア休暇は整備されているものの、中小企業には広がっていない。その取得も大規模災害時のボランティアなどに限られている。このため、日常的にボランティアに時間を割くのが困難となっている。

（1）　総務省の2016年の社会生活基本調査によれば、ボランティア活動・社会参加率は2011年と変化していません。

3　ボランティア活動の推進のための取組

　私は、ボランティア活動の推進のために、次の取組を進める。

　第1に、**ボランティア活動に係る情報発信やきっかけづくり**に取り組む。行政の広報誌などを用いて情報提供するとともに、ボランティアセンター、Web等を活用しながら、ボランティア活動ができる場の紹介を行う。あわせて、ボランティアに係る講演や研修などを行うとともに、相談会などを開催し、関心がある市民と、市民活動団体のマッチングなどに取り組んでいく。

　第2に、本市として、**プロボノ（ProBono）活動**[2]**を推進**する。プロボノは各分野の専門家がスキルや経験を活かして行うボランティア活動である。こうした活動を進め、専門的知識等を有する地域の人材がボランティアに参加してくれるように取り組んでいく。スキルはあるが活動していない人、さらには、現在プロボノ活動を行っている人たちのスキルアップを促すため、**研修の実施・強化**に取り組む。特に、プロボノ活動を行える**人材のデータベースを構築**し、必要に応じて、市民活動団体が活用できるように取組を進めていく。

　第3に、事業者とのネットワークを構築しながら、**企業として、さらには従業員個々人としてボランティアに参加できる環境を整備**する。特に、ボランティア活動の普及啓発を積極的に行い、働き方改革の一環として時間が増加する中で活動に取り組む機運を醸成していく。あわせて、**副業として企業がその従業員の社会貢献活動を認める**[3]よう、商工会議所などの商工団体とも連携し、取組を進めていく。

4　豊かで持続可能な地域社会の構築へ

　豊かで持続可能な地域社会の構築に向けては、ボランティア活動が様々な場面で行われ、その参加者が生きがいや、やりがいを感じ、継続されていく必要がある。

　私は、ボランティア活動の一層の拡大に積極的に取り組んでいく所存である。

（2）　Pro Bono Publicoのこと。ラテン語の「公共善のために」を略した言葉で、各分野の専門家がスキルや経験を活かして行うボランティア活動をいいます。
（3）　自治体でも、神戸市等で、社会貢献活動等の副業が認められています。また、消防団については、その7割が被雇用者という状況であり、活動しやすい環境づくりのために、消防団協力事業所表示制度が設けられています。自治体によっては、認定企業には入札参加資格の加点があります。

公務員昇任論文研究会

〈本書執筆〉
鈴木洋昌（すずき・ひろまさ）
高崎経済大学地域政策学部准教授。1971年生まれ。1994年横浜市立大学商学部経済学科卒業。同年川崎市役所入所。経済学博士（中央大学）。自治体学会、日本公共政策学会などに所属。

キーワードで書ける！頻出テーマ別合格論文答案集　第1次改訂版 © 2022年

2019年（令和元年）7月26日　初版第1刷発行
2022年（令和4年）4月27日　第1次改訂版第1刷発行
2024年（令和6年）9月30日　第1次改訂版第2刷発行

定価はカバーに表示してあります。

編　者　公務員昇任論文研究会
発行者　大　田　昭　一
発行所　公　　職　　研

〒101-0051
東京都千代田区神田神保町2丁目20番地
　　　　TEL　03-3230-3701（代表）
　　　　　　　03-3230-3703（編集）
　　　　FAX　03-3230-1170
　　　　振替東京　6-154568

ISBN978-4-87526-423-1 C3031　http://www.koshokuken.co.jp

落丁・乱丁は取り替え致します。　PRINTED IN JAPAN　　印刷　日本ハイコム㈱
　　　　　　　　　　　　　　　　　　　　　　　　　ISO14001取得工場で印刷しました。

◆本書の一部または全部を無断で電子化、複製、転載等することは、一部例外を除き著作権法上禁止されています。

公職研図書案内

地方自治法よく出る問題123問

実際に出題された問題の出題傾向を徹底的に分析し、出題頻度が高い項目を優先的に学べるように構成しています。　　　　　定価◎本体2,050円+税

地方公務員法よく出る問題108問

過去の出題傾向の分析の上に立って問題を精選した、「試験に出る問題を集めた問題集」です。　　　　　定価◎本体1,950円+税

重点ポイント昇任試験時事問題（年度版）

その年の昇任試験に出るテーマを厳選。幅広い分野の「時事問題」が5肢択一で学べる、自治体昇任試験対策の人気の書籍です。　　　　　定価◎本体2,000円+税

必携自治体職員ハンドブック

地方行政の動向・課題と、関連諸制度のポイントをまとめた、論文対策にも有用な一冊。職員必須の基礎知識の涵養に。　　　　　定価◎本体2,500円+税

事例で学べる行政判断　係長編　　　定価◎本体1,800円+税
事例で学べる行政判断　課長編　　　定価◎本体1,850円+税

職場での様々な事例を択一問題演習で学ぶ。リーダーシップとは、判断力とは何かを改めて原点にかえって考える一冊。

その回答が面接官に響く！昇任面接対策講座

テーマごとに注意したい「キーワード」を掲載。面接の流れを読んだ「展開予想」で、自信をもって面接官に響く回答ができる。　　　　　定価◎本体1,700円+税

＊諸般の事情により、価格は変更になる場合があります。

公職研図書案内

堤 直規 著

教える自分もグンと伸びる！公務員の新人・若手育成の心得

現職課長で、キャリアコンサルタント（国家資格）でもある著者が、忙しい毎日の中で新人・若手育成を進めるための実践的なポイントをずばり解説。入庁からの1年間、新人OJTの月別メニュー付き！　　　　　　　定価◎本体1,700円＋税

阿部のり子 著

みんなで始めよう！公務員の「脱ハラスメント」
　　加害者にも被害者にもならない、させない職場を目指して

多様なハラスメントの態様を知り、センスを高め法的理解を深めて、自分も他人も加害者・被害者にならない・させないための必読書。現役公務員と3人の弁護士が解説。職場の実務に役立つヒントが満載。　　　　　　　定価◎本体1,800円＋税

現代都市政策研究会 編

ケースで学ぶ議会・議員対応のきほん
　　こうしておさえる自治体政策実現の勘所

市民要望に応え、地域課題を解決する政策を実現していくためには、議会・議員対応は必ず乗り越えなくてはならない壁。職員と議員がつくった、"体験型・事例研究"という、全く新しいタイプの実務書。　　　　　　　定価◎本体1,950円＋税

佐藤 徹 編著

エビデンスに基づく自治体政策入門
　　ロジックモデルの作り方・活かし方

エビデンスによる政策立案（EBPM）・評価とは何かという【基礎】から、実際にロジックモデルを作成して、政策・施策に活用する【応用】まで。ロジックモデルを"学べる×使える"ワークシートのダウンロード特典付き。
　　　　　　　定価◎本体2,100円＋税

島田正樹 著

いまから始める！ミドル公務員のすこやかキャリア

自分のキャリアのハンドルは、自分の手で握る！　"中年の危機"に直面するミドル世代に送る、すこやかキャリアの築き方。自分らしく働き、自分らしく生きていくためのヒントが満載！　　　　　　　　　定価◎本体2,100円＋税

＊諸般の事情により、価格は変更になる場合があります。